FRANÇOIS BARCELO

François Barcelo est né à Montréal, en 1941. Il a été concepteur publicitaire avant d'écrire son premier roman, *Agénor, Agénor, Agénor et Agénor*, publié en 1981. En septembre 1988, il a fait ses adieux à la publicité et s'est lancé dans un tour des États-Unis qui lui a inspiré son héros le plus connu : Benjamin Tardif.

Prolifique, François Barcelo a écrit plus de trente livres en vingt ans. Il est le premier Québécois publié dans la Série noire. Et il a créé pour la jeunesse un autre personnage qui lui ressemble, en dépit de la différence d'âge : Momo de Sinro. François Barcelo habite en Montérégie, à Saint-Antoine-sur-Richelieu, mais l'envie de partir en voyage le reprend chaque fois qu'il voit les outardes s'envoler vers le Sud. Et il ne résiste pas souvent.

Site Internet : http://www.barcelo.ca.tc

François Barcelo

Pas tout à fait en Californie

Les aventures
de Benjamin Tardif – III

Collection Zénith

Libre Expression

Données de catalogage avant publication (Canada)

Barcelo, François

Les aventures de Benjamin Tardif

Nouv. éd.

(Collection Zénith)
Éd. originale : 1989-1992.
Publ. à l'origine en 3 v. séparés.
Sommaire : t. 1. Nulle part au Texas – t. 2. Ailleurs en Arizona –
t. 3. Pas tout à fait en Californie.

ISBN 2-89111-978-9 (v. 1)
ISBN 2-89111-979-7 (v. 2)
ISBN 2-89111-980-0 (v. 3)

I. Titre. II. Titre : Nulle part au Texas. III. Titre : Ailleurs en Arizona.
IV. Titre : Pas tout à fait en Californie. V. Collection.

PS8553.A761A93 2002   C843'.54   C2002-940322-7
PS9553.A761A93 2002
PQ3919.2.B37A93 2002

Maquette de la couverture
FRANCE LAFOND

Illustration de la couverture
STEFAN ANASTASIU

Infographie et mise en pages
SYLVAIN BOUCHER

Libre Expression remercie le gouvernement canadien
(Programme d'aide au développement de l'industrie de l'édition),
le Conseil des Arts du Canada, le gouvernement du Québec (Programme
de crédit d'impôt pour l'édition de livres – Gestion SODEC) et la Société
de développement des entreprises culturelles du soutien accordé
à ses activités d'édition dans le cadre de leurs programmes
de subventions globales aux éditeurs.

© Éditions Libre Expression ltée, 1992
© 2002, pour la présente édition

Éditions Libre Expression
2016, rue Saint-Hubert
Montréal (Québec) H2L 3Z5

Dépôt légal :
1er trimestre 2002

ISBN 2-89111-980-0

Avant-propos

Ne vous donnez pas la peine de chercher un Pas tout à fait (ou un Not quite) sur une carte de la Californie. Il n'y en a pas plus maintenant qu'il n'y en avait en 1992, de la même manière que vous ne trouverez aucun Nulle Part au Texas ni un seul Ailleurs en Arizona.

Vous ne trouverez non plus de bière Blanca y Negra ni de *chili con carne* Grandma Thurston. Mais si vous cherchez bien, vous rencontrerez peut-être un Benjamin Tardif, un Justin Case et, sait-on jamais, une Soutinelle Case.

Le premier jour

Cet après-midi-là, une vague de chaleur avait apparemment envahi toute l'Amérique du Nord.

– Los Angeles, cent douze, précisait la radio, Phoenix, cent quatre…

Même s'il s'agissait de degrés Fahrenheit (égaux, on le sait, à cinq neuvièmes de degrés Celsius à condition qu'on n'oublie pas qu'ils doivent se mettre à trente-deux pour faire dégeler l'eau), cela ressemblait à une canicule de première force.

– Houston, quatre-vingt-dix-huit, San Antonio, quatre-vingt-quinze, Saint Louis, cent deux, Chicago, quatre-vingt-onze…

Il n'y avait donc rien d'étonnant à ce que, sur une des innombrables autoroutes menant à Los Angeles, tous les véhicules circulent fenêtres fermées, leurs conducteurs s'abritant derrière les climatiseurs et les glaces bleutées.

Tous, à l'exception d'une camionnette de camping Westfalia poussive et de couleur vieux rose, qui ne parvenait qu'à grand-peine à suivre la circulation. Ce véhicule était d'autant plus incongru qu'il transportait deux passagers en plus de son conducteur, alors qu'il existe en Californie une règle non écrite interdisant de circuler en voiture à plus d'un le jour et de deux le soir, à moins d'être latino-américains. Et ces gens-là n'étaient pas hispaniques pour deux sous : sur la banquette arrière, un solide rougeaud arborant un chapeau de cow-boy sur lequel était peinte une bannière étoilée maintenant délavée affichait la tête qu'on imagine à un shérif en chômage (ce qu'il était); au volant, le conducteur n'avait rien de remarquable, sinon que tous les automobilistes qui le dépassaient et jetaient un coup d'œil de côté pour voir quel genre de zigoto pouvait rouler toutes fenêtres ouvertes par une journée pareille constataient immédiatement qu'il n'avait pas une tête de Californien ni même d'Américain; à côté de lui prenait place une jeune Afro-Américaine d'une beauté si exceptionnelle que bien peu des gens qui l'apercevaient se rendaient compte qu'elle était exceptionnellement belle.

Mais le comble de l'incongruité de ce véhicule, c'était que son conducteur était le seul de tout le pays à prendre pour des prévisions météorologiques la lecture des résultats de l'Association nationale de basket-ball. Ce fut tout juste si les cent huit de Boston et les quatre-vingt-dix-sept de Détroit l'étonnèrent quelque peu. Sûrement des records de température pour cette fin de mars dans le nord des États-Unis, songea-t-il.

Le Westfalia, donc, roulait toutes fenêtres ouvertes. Même la porte coulissante était béante, Justin Case ayant insisté pour l'ouvrir après s'être engagé à boucler sa ceinture de sécurité – promesse qu'il n'avait tenue que cinq minutes parce que, disait-il, il faisait trop chaud pour s'attacher et puis la Constitution des États-Unis d'Amérique ne lui garantissait-elle pas le droit de rouler librement et de se tuer comme il en avait envie?

Benjamin l'avait laissé faire à sa tête. Peut-être même espérait-il secrètement qu'un cahot expulserait l'ex-shérif et qu'il poursuivrait son voyage seul avec la sœur de celui-ci, qu'il se ferait fort de consoler de toutes les manières.

Il n'eut pas cette chance, la chaussée des autoroutes de Californie étant généralement d'une qualité exemplaire. Plus ils approchaient de Los Angeles, plus la circulation se faisait dense, plus ils roulaient lentement, plus l'espoir de perdre Justin s'amenuisait.

– Si on cherchait un coin où s'installer? suggéra vers quatre heures de l'après-midi Benjamin résigné à passer la nuit à trois dans le Westfalia maintenant que la présence de Justin jusqu'au lendemain se révélait inévitable.

– Pas tant qu'on n'aura pas vu le grand « HOLLY-WOOD» en lettres blanches dans la montagne, exigea Soutinelle Case.

Il était tout à fait légitime qu'une future actrice soit incapable de dormir tant qu'elle n'aurait pas vu le monument le plus célèbre de cette ville qui n'en avait pas d'autre. Benjamin se contenta d'espérer que le grand « HOLLYWOOD» en lettres blanches dans la montagne n'exigerait pas de trop longues recherches.

– Dirige-moi vers Hollywood, ordonna-t-il.

Soutinelle s'empara de la carte. Pendant une bonne demi-heure, elle dirigea Benjamin de façon confiante, autoritaire et experte, jusqu'au moment où il reconnut une sortie d'autoroute devant laquelle ils étaient passés plusieurs minutes plus tôt.

La navigation fut alors confiée à Justin, tandis que Soutinelle faisait semblant de bouder tout en cherchant à l'horizon la fameuse colline avec les fameuses lettres. Mais les indications du nouveau navigateur ne réussirent qu'à lancer le trio dans des embouteillages monstrueux.

— Ce serait plus facile à trouver si c'était pas l'heure de pointe, s'excusa Justin comme si les lieux changeaient de place avec les heures du jour.

Benjamin s'empara de la carte et profita d'un bouchon plus fermement bouché que les autres pour mémoriser ce qui lui semblait être un trajet susceptible de les mener inéluctablement à la capitale mondiale du cinéma américain.

Ce fut peine perdue. Lorsque le bouchon se désagrégea, ils traversèrent bien un Inglewood et deux Lakewood (ou un seul et unique Lakewood traversé deux fois), mais aucun Hollywood.

Soutinelle et son frère furent ensuite conjointement chargés de les sortir de ce dédale.

— Prends à droite à la prochaine, ordonna Justin à l'approche de la sortie d'autoroute suivante.

— Non, à gauche, protesta Soutinelle.

— Regarde la carte, bougnoule : tu vois bien que c'est à droite.

— Mais non, connard, tu regardes la carte à l'envers.

— C'est parce qu'on va vers le sud, patate.

— Mais Hollywood, c'est au nord, trouduc.

Elle n'avait pas utilisé cette dernière expression, mais une autre de ces insultes américaines vives et colorées comme celles qu'on entendrait dans les films américains si elles n'étaient pas remplacées au doublage par des insultes tout aussi vives et colorées pour quiconque possède une connaissance approfondie de l'argot parisien.

– Pas si on est ici, pouffiasse.

Après s'être quelque peu distrait à chercher des équivalents français à ces insultes fraternelles et convaincu que ni la droite ni la gauche n'était la direction à suivre, Benjamin décida de continuer tout droit, ce qui ne régla rien puisque l'autoroute se transforma abruptement en avenue à six couloirs dans une des innombrables banlieues résidentielles auxquelles on donne le nom collectif de Los Angeles, ce qui fait croire aux voyageurs qu'ils y sont arrivés même s'ils en sont encore séparés par des dizaines de kilomètres.

Comme cela le changeait des bouchons de l'autoroute, il persista à rouler sur cette avenue-là, puis sur des chemins de plus en plus petits – toujours en direction du soleil, puisque celui-ci était à l'ouest et qu'il n'était pas absolument impossible que Hollywood y soit aussi.

Vers six heures, le soleil menaça toutefois de disparaître derrière les collines et força Benjamin à redemander à ses passagers de le guider.

– Je pense que la transmission va finir par nous donner des ennuis si on n'arrête pas bientôt, fit-il remarquer dans l'espoir que la perspective d'une panne ferait oublier à Soutinelle sa poursuite des neuf lettres géantes.

Depuis un bon moment déjà, le Westfalia, qui gravissait une colline semblant ne mener nulle part, n'acceptait les changements de vitesse qu'avec des réticences de plus en plus senties et donnait de brusques à-coups chaque fois que son conducteur embrayait. Ce phénomène se limita d'abord à la deuxième, puis s'étendit aussi à la première, la troisième étant quant à elle disparue comme par enchantement. Benjamin ne connaissait rien à la mécanique et aurait été bien en peine de dire si c'était la transmission, la boîte de vitesses, l'embrayage ou bien – pourquoi pas, tant qu'à faire? – le levier de vitesses lui-même qui posait problème.

– Les transmissions de Wasfoolia, c'est pas tuable, objecta Justin.

Comme pour prouver à l'ex-shérif qu'il ne s'y connaissait pas plus en mécanique que son propriétaire, le Westfalia s'immobilisa à ce moment précis, non sans avoir préalablement émis une série de craquements, grognements et autres éructations peu rassurantes. Le moteur tournait, mais le véhicule refusait d'avancer même si son conducteur appuyait à fond sur l'accélérateur.

– Es-tu sûr qu'il reste de l'essence? demanda Justin sur un ton dont le sarcasme n'était pas totalement exempt.

Le conducteur jeta un coup d'œil au rétroviseur pour s'assurer que son passager ne se payait pas sa tête. Non : il était tout à fait sérieux et semblait croire qu'un moteur pourrait tourner en dépit d'une panne sèche.

Benjamin tourna la clé d'allumage, regarda devant et derrière. Au moins, le petit chemin où ils avaient involontairement fait halte était désert. Et il était assez large pour qu'une autre voiture, si jamais il s'en présentait une, passe sans trop de danger.

– À l'heure qu'il est, déclara-t-il, je doute qu'on arrive à trouver une station-service encore ouverte.

Cela lui était d'autant plus évident que l'institution éminemment américaine qu'avait été jadis la station-service était disparue du pays pour faire place à des libres-services confiés à la surveillance d'adolescents dont la science automobile se limitait à l'identification des modèles de voitures qu'ils étaient incapables de se payer.

Benjamin allait proposer de s'installer là pour la nuit, lorsque Soutinelle s'écria :

– On est à Beverly Hills !

Benjamin regarda des deux côtés du chemin.

Il était vrai qu'il y avait là les vieilles grandes maisons entourées d'arbres, de haies et de buissons qui rappelaient quelque peu les images qu'on se fait des luxueuses résidences d'acteurs. À la faveur d'une nuit sans lune et d'un brouillard épais, ces maisons avaient pu donner lors de leur construction une illusion d'opulence. Mais plusieurs décennies de négligence avaient conféré à la plupart d'entre elles l'allure de maisons hantées par des fantômes d'assistés sociaux. Benjamin examina celle de gauche, particulièrement affectée. Une partie du toit était affaissée. Et les panneaux de contreplaqué qui fermaient la porte et les fenêtres du rez-de-chaussée étaient en si mauvais état qu'ils paraissaient incapables de remplir leur fonction d'écarter les voleurs si jamais quelqu'un pouvait s'imaginer trouver des objets de valeur dans ces ruines.

– Celle-là, s'exclama encore Soutinelle, je l'ai vue dans *Joies et caprices des gens riches et célèbres*.

Elle désignait la maison de droite, en état légèrement moins mauvais que celle d'en face. Benjamin fit une grimace exprimant un scepticisme tel que Soutinelle comprit qu'il ne la croyait pas.

– Je te jure, jura-t-elle. La dernière fois que je suis allée à Badernia, il y avait la télévision dans une taverne. Je la reconnais : c'est la même grande maison blanche avec un toit de tuiles rouges, deux colonnes blanches, une grille de fer en avant et un grand jardin tout autour.

Benjamin dut reconnaître qu'il s'agissait en effet d'une grande maison blanche avec toit de tuiles, colonnes, grille et jardin. En théorie, du moins, car la blancheur, même au crépuscule, était douteuse et la peinture écaillée. Il manquait des tuiles au toit. Un des volets de la grille avait perdu une charnière et penchait piteusement. Une des colonnes obliquait dangereusement vers l'autre comme si elle s'était juré qu'elle irait un jour lui faire des petits. Quant au jardin, il ressemblait plus à la forêt vierge qu'à un parc visité régulièrement – fût-ce une fois l'an – par un jardinier.

– Si on jetait un coup d'œil sous le capot? suggéra Justin en sortant par la porte coulissante.

Benjamin le laissa examiner l'avant du Westfalia à la recherche du capot ou de tout autre endroit susceptible de receler un moteur ou – sait-on jamais en quel endroit les ingénieurs allemands peuvent avoir la fantaisie de cacher ces accessoires de façon à se montrer plus malins que les Japonais? – une transmission.

— Je pense que c'est pas la peine, concéda rapidement l'ex-shérif. Ces trucs allemands, il faut être nazi pour y toucher, sinon ça se dérègle tout seul rien qu'à les regarder.

Soutinelle sortit à son tour et fit quelques pas vers la maison. Constatant que, s'il n'avait aucune raison de sortir du Westfalia, il n'en avait non plus aucune d'y rester, Benjamin sortit lui aussi, histoire de se dégourdir les jambes.

— On devrait reculer un peu, pour laisser plus de place dans le chemin, proposa-t-il après s'être rendu compte que si un véhicule pouvait aisément passer à côté du Westfalia, cela n'était possible que si son conducteur était sobre et roulait lentement, alors que ce genre de chemin risquait d'être plutôt fréquenté par des ivrognes égarés, pressés de rentrer à la maison ou de retourner à la taverne.

— Je vais te guider, proposa Justin.

Benjamin remonta au volant, mit au point mort, relâcha le frein. Il laissa le véhicule reculer tout seul, sans suivre les instructions de braquage de Justin, ce qui facilita la manœuvre mais vexa profondément celui-ci. Puis il passa à l'arrière du Westfalia, dégagea les crochets qui retenaient la partie articulée du toit entourée de toile et de moustiquaire, et entreprit d'y installer le hamac où Justin passerait la nuit. C'est alors que Soutinelle revint, en proie à la plus vive excitation, et annonça :

— J'ai parlé au propriétaire du manoir. Il nous invite à prendre un verre.

— Bonne idée, acquiesça son frère.

Forcé de constater qu'il serait en minorité s'il réclamait un vote, Benjamin les suivit vers la maison.

La moitié de la grille qui ne tenait plus que par une charnière était ouverte sur un petit parc de stationnement où une Cadillac noire, d'un modèle ancien avec pare-brise en deux panneaux, rouillait tranquillement, à la faveur d'une retraite méritée.

Soutinelle guida ses compagnons à l'intérieur de la maison comme si elle avait toujours vécu là, jusqu'à un grand salon dont le mobilier défraîchi n'avait pas encore perdu tout son charme. Justin s'assit spontanément dans le fauteuil le plus profond. Soutinelle resta debout au centre, adoptant naturellement une posture d'hôtesse signifiant à Benjamin que s'il proposait d'acheter cette maison, elle ne s'y opposerait pas. Ce dernier, les mains jointes derrière le dos, s'avança dans la pièce comme dans une salle de musée et s'approcha du plus grand des tableaux qui ornaient le mur opposé. C'était le genre de portrait dont on devine qu'il est ressemblant même si on n'a jamais vu la personne qu'il représente. En l'occurrence, il s'agissait d'une jeune femme blonde, à cheval, et il songea aussitôt que le peintre avait reçu la commande de représenter la plus jolie femme du monde sur le cheval le plus laid de la planète.

– Whisky? demanda une voix derrière lui avant qu'il ait eu le temps de lire l'inscription gravée sur une petite plaque de laiton clouée au bas du cadre.

Il se retourna. Déjà, Justin s'était levé et emparé d'un verre de liquide brunâtre posé sur le plateau que tenait un vieil homme avec l'assurance réservée d'un maître d'hôtel anglais.

Le vieillard était doté d'une forte stature qui lui donnait une apparence de relative jeunesse. Mais lorsqu'il s'approcha de Benjamin, celui-ci constata qu'il devait avoir au moins soixante-dix ans. Peut-être frôlait-il les quatre-vingts.

— Bienvenue à Not Quite, dit le vieillard.

Benjamin s'empara du verre le plus près. Il n'avait jamais entendu parler d'un Not Quite en Californie. Son hôte ajouta aussitôt :

— C'est le nom de ce modeste domaine. En réalité, son nom complet est plutôt Not Quite Beverly Hills.

Soutinelle jeta à Benjamin un coup d'œil triomphant, qui signifiait clairement : «Je t'avais bien dit qu'on y était.»

— Lorsque nous avons acheté le terrain sur lequel nous avons fait construire cette maison, poursuivit l'homme en posant le plateau sur une table basse et en levant son verre, nous croyions qu'il était à Beverly Hills. Malheureusement, nous avons appris au moment de signer le contrat d'achat qu'il n'en était rien, à cause d'une erreur d'arpentage. Et nous avons dû modifier notre projet de baptiser cette demeure At Last Beverly Hills.

Soutinelle dut faire une grimace de dépit, car l'homme ajouta aussitôt :

— Beverly Hills est à quelques pas seulement, juste en haut de la colline.

— Ah bon! fit Benjamin avec indifférence.

Il avala une gorgée de whisky, convaincu qu'il s'agissait d'un excellent produit écossais, compatible avec l'âge de l'hôte et le charme suranné des lieux. Mais il faillit s'étouffer. Cela n'avait rien de la finesse d'un vieux scotch. Cela ressemblait toutefois à quelque chose qu'il avait déjà goûté. Mais où?

À la deuxième gorgée, suivie celle-là d'un étouffement complet, cela lui revint : c'était à peu près, sinon exactement, le même affreux bourbon qu'il avait bu deux ans plus tôt chez Soutinelle.

– C'est amusant, dit-il au vieil homme, nous venons justement d'un endroit qui s'appelle Nowhere, au Texas. Ensuite, nous avons passé quelques jours à Elsewhere, en Arizona, et nous voilà… à Not Quite, en Californie. C'est comme si nous passions notre temps dans des lieux dont l'existence n'est pas tout à fait certaine.

Soutinelle lui jeta un regard furieux et il sentit aussitôt qu'elle n'aimait pas du tout qu'on déclare, dans un domaine de Beverly Hills ou peu s'en fallait, qu'elle venait d'un coin reculé dont jamais personne n'avait entendu parler.

– Nowhere, au Texas? demanda le vieil homme. Nous avons déjà tourné un film tout près de là. Dans un endroit qui s'appelait Badernia, je crois. Et nous étions allés nous baigner sur une très jolie plage, à Nowhere. Mais c'était, mademoiselle, bien avant votre naissance.

La fureur de Soutinelle fondit en un clin d'œil.

– Vous êtes dans le cinéma? demanda-t-elle sans pouvoir cacher plus d'un centième de sa curiosité soudain piquée à fond.

– Rex Connors, réalisateur. Vous avez peut-être déjà entendu mon nom?

Tandis que Benjamin secouait la tête pour signifier que ce nom ne lui disait rien malgré une fréquentation assidue des salles de cinéma et des meilleurs clubs vidéo, Soutinelle s'exclamait :

– Pas *le* Rex Connors ?

Flatté, le vieillard hocha la tête. Benjamin devina que c'était la première fois depuis plusieurs années que quelqu'un lui demandait s'il était *le* Rex Connors.

– Je m'appelle Soutinelle Case, poursuivit-elle. Lui, c'est mon frère Justin, mon agent. Et lui, Benjamin Tardif, mon scénariste.

Benjamin fut-il flatté d'être soudain promu scénariste de Soutinelle ? Il l'aurait sûrement été plus si Justin n'était pas au même moment devenu son agent.

– Bienvenue à Not Quite Beverly Hills, dit à son tour une voix de femme.

Tous se tournèrent vers une vieille dame qui descendait l'escalier à l'aide d'un petit ascenseur suspendu à la rampe.

L'ascenseur (un superbe appareil antique, tout en bois, qui semblait dater de Louis XIV ou Louis XV, en tout cas de bien avant l'invention des ascenseurs) s'arrêta en touchant le plancher, et un vieux fauteuil roulant (en bois lui aussi, d'un modèle plus ancien encore que l'ascenseur, puisqu'il était dépourvu de moteur) se mit en marche tout seul et s'arrêta, apparemment toujours par sa propre volonté, au milieu de la pièce.

La femme qui l'occupait ressemblait tellement à celle du tableau équestre que ce ne pouvait être qu'elle – ridée, vieillie, mais toujours avec les mêmes traits fins et réguliers et le même port de tête altier.

– Malvina Lansford ! s'exclama Soutinelle.

La vieille dame esquissa un sourire furtif, qu'elle rattrapa humblement ou fit semblant de rattraper avec fausse humilité.

— Je suis ravie de constater qu'il y a encore en ce pays une jeune femme qui se souvient de moi.

— Je n'ai vu qu'un de vos films, s'excusa Soutinelle. Avec mon père. J'avais sept ans, à peu près. C'était *L'Ombre de la flèche*. J'avais adoré. Je serais retournée le voir le lendemain. Mais le cinéma a brûlé pendant la nuit.

Soutinelle parvint à avoir l'air désolée que le cinéma ait brûlé si vite non à cause de la disparition de la salle, mais parce que cela lui avait fait perdre l'occasion de revoir *L'Ombre de la flèche*.

— Les films de Rex ont souvent eu tendance à connaître une fin tragique, que ce soit pendant le tournage ou aux guichets, mais c'est la première fois que j'entends dire qu'ils ont détruit une salle, ajouta Malvina Lansford avec un sourire doux et amer. Mais comment vous appelez-vous, mon enfant?

— Soutinelle. Soutinelle Case.

— Moi, je suis Justin Case, dit Justin en tendant une main pas trop propre qu'il détourna astucieusement vers la carafe de bourbon lorsqu'il constata que la vieille actrice ne s'empressait pas de lui donner la sienne.

— Vous êtes mariés? s'étonna Malvina Lansford.

Justin lança, en remplissant son verre :

— Non, c'est ma sœur. Moi, je suis son frère.

Avant que Soutinelle, gênée par le manque de savoir-vivre de son frère, ait eu le temps d'intervenir pour préciser qu'ils n'étaient qu'à moitié frère et sœur, Malvina Lansford leva la main pour réclamer un moment de réflexion.

– Attendez. Laissez-moi trouver la solution de cette énigme. Oui, je vois : votre mère était blanche et avait un amant blanc qui a conçu votre frère. Et votre père, qui était noir, s'est vengé en faisant un enfant à une maîtresse de sa couleur. Vos parents se sont ensuite réconciliés et vous ont reconnus tous les deux comme leurs enfants légitimes. C'est ça?

– Presque, corrigea Soutinelle : notre père était blanc, notre mère noire. Et c'est lui qui a commencé.

Malvina Lansford sourit pour de bon. Benjamin Tardif constatait que la vieille actrice, si elle avait perdu l'usage de ses jambes, avait encore toutes ses facultés intellectuelles. Il se présenta à son tour.

– Vous êtes français? lui demanda-t-elle dans la langue habituellement utilisée par Roch Voisine dans ses tournées en France et en l'agrémentant d'une trace d'accent américain tout à fait charmante.

– Québécois, plutôt.

– Québec! Nous y sommes allés, pendant la guerre, poursuivit-elle dans la langue de Celine Dion de passage chez le successeur de Johnny Carson. Nous devions repérer des lieux pour un film policier que nous n'avons jamais fait. C'était pendant la conférence de Québec ou quelque chose du genre. Je me souviens d'un grand banquet où nous avions été invités. Winston Churchill m'avait fait du plat. Il m'avait caressé la cuisse sous la table. Il était bourré, bien entendu. J'ai repoussé sa main. Mais ça ne l'a pas empêché de recommencer.

Benjamin Tardif regarda Rex Connors. Celui-ci ne sourcillait pas. Peut-être n'était-il rien de plus que l'ex-réalisateur de l'ex-actrice et le chaste compagnon de ses vieux jours.

— Restez souper avec nous, et vous pourrez voir d'autres films dans lesquels j'ai joué, si cela vous intéresse, reprit Malvina Lansford.

Justin allait refuser la deuxième partie de l'invitation sous prétexte qu'il n'aimait pas les vieux films, mais sa sœur le battit de vitesse.

— Ce serait épatant.

Soutinelle songea qu'elle paraîtrait plus polie si elle demandait l'avis de Benjamin.

— Si Benjamin est d'accord, bien entendu.

Il aurait eu bien du mal à ne pas l'être. Le Westfalia était en panne et, même s'il ne l'avait pas été, il aurait fallu au moins deux jours pour convaincre Soutinelle de passer ailleurs cette soirée-là.

— Le seul problème, c'est que notre véhicule est en panne, dit-il bien plus pour s'excuser d'accepter l'invitation que dans l'espoir que leurs vieux hôtes auraient les connaissances mécaniques nécessaires pour le dépanner.

— Justement, continua Malvina Lansford, vous ne trouverez jamais une station-service ouverte à cette heure à moins de cent milles de Los Angeles. Nous avons bien trois chambres dont le toit ne coule pas trop, n'est-ce pas, Rex?

Rex fit de la tête un geste qui pouvait exprimer autant le doute que l'acquiescement.

— De toute façon, il va faire beau cette nuit, intervint Justin, séduit par la perspective de dormir dans un vrai lit plutôt que dans le hamac du Westfalia.

– Vous savez, deux chambres vont suffire, ajouta Soutinelle.

Benjamin, totalement réconcilié avec l'idée de coucher chez des étrangers maintenant qu'on l'assurait qu'il partagerait le lit de Soutinelle, aurait volontiers acquiescé lui aussi si on lui en avait donné l'occasion.

– Rex, va voir à la cuisine ce qu'on peut faire pour cinq, ordonna Malvina Lansford.

Pendant que Rex Connors quittait la pièce et que Justin Case s'emparait encore de la carafe de bourbon, elle ajouta :

– Rex fait des miracles avec un rien.

Benjamin Tardif demanda la permission de garer le Westfalia à côté de la Cadillac, à l'abri des chauffards, permission qui fut aussitôt accordée.

– Viens me donner un coup de main, Justin, avant de vider la carafe.

Justin obtempéra, mais seulement après avoir ingurgité d'un trait les dernières gouttes de bourbon, au cas où la carafe et le verre auraient été brisés avant son retour par un tremblement de terre comme il y en a si souvent dans les environs de Los Angeles.

Un seul des deux battants de la grille – celui qui ne tenait que par une charnière – était ouvert. L'autre refusa de bouger en opposant aux forces conjuguées des deux hommes l'immobilité que lui conféraient quelques décennies de corrosion. Mais il y avait assez de place pour laisser passer le Westfalia. Benjamin monta au volant.

– Surveille à gauche, demanda-t-il à Justin.

Il desserra le frein à main et le Westfalia se remit tout doucement en marche arrière dans le faux plat de l'entrée. Il braqua au maximum. Dans le rétroviseur, il voyait que ça passait de justesse à droite.

– Ça passe à gauche? cria-t-il à l'intention de Justin Case.

– Ça passe.

Le Westfalia recula sans se faire prier, jusqu'au moment où un grand craquement se fit entendre, conjuguant le froissement de la fibre de verre, le craquement du métal arraché et le déchirement de la toile. Benjamin leva les yeux et vit les premières étoiles de la nuit dans le ciel au-dessus de sa tête, là où il aurait dû voir le toit du Westfalia, qui venait d'entrer en collision avec une branche d'arbre.

– Maudite marde! pesta-t-il en freinant.

Lorsqu'il vit la tête de Justin apparaître dans la fenêtre, il traduisit à son intention, avec la concision incomparable de la langue anglaise et l'économie de paroles qui sied aux grandes colères:

– *Shit!*

– Moi, tu m'avais dit de surveiller à gauche. Qui surveillait en haut?

Benjamin poussa un soupir qui manifesta son profond regret de n'avoir aucun prétexte pour engueuler Justin, ce qui lui aurait pourtant fait le plus grand bien.

– Si tu avais pris le nouveau modèle, ce serait moins grave, parce que le toit ouvre dans l'autre sens, ajouta impudemment Justin. La branche l'aurait seulement fermé.

C'était la troisième fois, ce jour-là, que Justin, qui vivait aux crochets de Benjamin, faisait des allusions au fait que celui-ci avait été trop radin pour acheter à

Phoenix un Westfalia climatisé plus jeune de trois ans mais plus coûteux de deux mille dollars que le non climatisé.

Comme par inadvertance, Benjamin poussa la portière que Justin esquiva avec agilité et qui heurta violemment la grille.

Le rétroviseur extérieur sauta sur l'occasion pour tomber par terre. Benjamin le jeta dans le fossé d'un coup de pied rageur.

– Tu devrais le garder, protesta Justin, je serai pas toujours là pour te guider.

Benjamin descendit dans le fossé, ramassa le rétroviseur et le lança au fond du Westfalia.

Après une demi-heure d'efforts et avec les encouragements de Justin, Benjamin parvint à replacer le toit de façon qu'il ne restait plus qu'une ouverture de quelques centimètres.

Puis, en regardant lui-même de tous les côtés, il laissa encore reculer le Westfalia que la gravité accepta gentiment de garer à côté de l'antique Cadillac.

Il revint enfin dans la grande maison, où Soutinelle l'accueillit dans un tel état d'excitation qu'il préféra garder pour lui les dernières mésaventures du Westfalia.

– Demain, M. Connors va téléphoner à des producteurs qu'il connaît et essayer de m'avoir une entrevue ou un bout d'essai. Et il nous a trouvé une chambre superbe.

– Ça tombe bien, fit remarquer Justin. Ben vient d'arracher le toit du Wasfoolia.

Le dîner fut simple et se composa d'un seul plat.

– Ce ne serait pas du Grandma Thurston, par hasard? demanda Benjamin Tardif dès sa première bouchée de *chili con carne*.

– On voit que monsieur Tardif est un connaisseur, dit Malvina Lansford avec un sourire malicieux.

Ils passèrent ensuite à la salle de projection, où s'alignaient deux rangs de sièges de cinéma. Rex Connors plaça une bobine et vint les rejoindre au premier rang.

Le film, en noir et blanc, s'intitulait *Les Hurlements d'Angela* – et la majeure partie de la bande sonore était effectivement dominée par les cris perçants de Malvina Lansford poursuivie tour à tour par un loup-garou, Dracula, des chiens vampires, le monstre de Frankenstein et un fou muni d'une tronçonneuse primitive.

– En fait, expliqua Malvina Lansford lorsque Rex Connors procéda au changement de bobine, ce n'est pas toujours ma voix qu'on entend. Je devais hurler si souvent que j'en devenais aphone après une demi-journée de tournage. Après mon accident, on a utilisé trois jeunes actrices pour me doubler en studio.

Benjamin Tardif eut l'impression qu'elle allait parler de l'accident qui l'avait clouée à son fauteuil roulant. Mais la deuxième bobine commençait.

Elle fut pire que la première. Ce fut toutefois la troisième qui dépassa toutes les bornes. Surtout la scène dans laquelle Malvina Lansford – qui jouait le rôle d'une vendeuse de tickets dans une fête foraine – était pourchassée par tous les monstres à la fois dans un labyrinthe de miroirs déformants.

Croyant qu'il s'agissait d'un film satirique, Benjamin avait esquissé au début de la première bobine quelques rires polis qui lui avaient valu des coups de coude de Soutinelle. Après trois bobines, aucun doute n'était possible : malgré des images originales et soignées – en particulier les gros plans du visage de Malvina Lansford, que la caméra semblait caresser avec amour –, *Les Hurlements d'Angela* était un film prétentieux, qui se prenait pour un film d'art mais ne parvenait qu'à être ennuyeusement ridicule.

– Qu'est-ce que vous en pensez? demanda la vedette du film lorsque Benjamin vit enfin apparaître *THE END* à l'écran.

– Je n'ai jamais eu si peur de ma vie, dit Soutinelle dont les ongles s'étaient souvent enfoncés dans un bras ou une cuisse de Benjamin et avaient achevé d'enlever à celui-ci toute envie de rire.

– Je n'irais pas jusqu'à dire que j'ai eu peur, hasarda plus prudemment Justin, mais j'ai souvent eu froid dans le dos.

Benjamin ne dit rien et aurait préféré continuer à se taire.

– Et vous, monsieur Tardif? demanda Malvina Lansford en se tournant vers lui. Vous pouvez parler sans crainte. Je devine que Mlle Soutinelle et son frère ne sont pas allés souvent au cinéma et leur opinion est aussi naïve que celle des premiers spectateurs de l'époque héroïque, qui mouraient de peur pour la jeune fille attachée à des rails de chemin de fer alors que la locomotive s'approchait en lançant de grands panaches de fumée, parce qu'ils ignoraient qu'on n'allait pas assassiner l'actrice uniquement pour leur plaisir. Je devine que vous êtes un *cinéphile averti,* et j'aimerais bien connaître votre opinion.

Benjamin hésita quelques secondes, puis se dit qu'une femme qui avait glissé les mots « cinéphile averti » en français dans sa conversation ne pouvait pas prendre *Les Hurlements d'Angela* pour un chef-d'œuvre, même si elle en avait été la vedette.

— Eh bien, je dois avouer que j'ai toujours détesté les films d'épouvante, commença-t-il avec un brin de diplomatie.

Mais il fut incapable d'en rester là et continua avec ce qu'il croyait être un trait d'esprit :

— Et je les trouve encore plus épouvantables après avoir vu celui-ci.

Rex Connors choisit ce moment-là pour revenir de la cabine de projection. Benjamin se mordit les lèvres.

Malvina Lansford éclata de rire.

— Ne craignez rien, monsieur Tardif, vous n'avez pas vexé Rex. *Les Hurlements d'Angela* est son plus mauvais film. Il le sait, mais il n'en est pas encore tout à fait sûr. C'est pourquoi il s'obstine à le présenter dans le vain espoir qu'il tombera un jour sur un cinéphile qui en dira du bien. Voyez-vous, lorsqu'il était tout jeune, Rex a d'abord été peintre et photographe. Il a aussi fait ce qu'on appellerait aujourd'hui un film d'auteur et dont la seule copie a été malheureusement ou heureusement égarée. Un jour qu'il était encore plus fauché que d'habitude, un producteur l'a embauché pour remplacer à pied levé un réalisateur de westerns de série B, mort d'une crise cardiaque en lisant dans un journal la première critique dont un de ses films avait fait l'objet. Je jouais le rôle de la femme du shérif et Rex m'a tout de suite charmée. Il méprisait le cinéma commercial, et fit plusieurs westerns sans y mettre plus d'efforts qu'il ne fallait. Tout le monde en était content et ces films emplissaient les salles – faciles à remplir, il est vrai, avant l'avènement de la télévision. Nous avons ainsi travaillé ensemble à une vingtaine de films pas trop mauvais. Le *Los Angeles Earthshaker* a même écrit que *Poussière et fumée* valait certaines des œuvres de John Ford.

– Si vous voulez, je vous montrerai la coupure de presse, offrit Rex Connors.

– En 1948, poursuivit Malvina Lansford avec un geste de la main pour chasser cette interruption malvenue, Rex s'est tout à coup pris pour Jean Cocteau. Il a décidé de faire le chef-d'œuvre que personne ne lui demandait. Peut-être voulait-il aussi me donner l'occasion de devenir plus qu'une vedette de série B, car je n'étais pas, vous l'avez sûrement constaté, une grande actrice. Je donnais une bonne image à l'écran, mais je ne le perçais pas comme le faisaient Garbo, Dietrich ou même Hayworth. Et il a investi dans ce projet toutes ses économies, puis toutes les miennes aussi, parce que j'avais alors la vanité de croire que je pourrais devenir une grande étoile. Comble de malheur, *La Dame de Shanghai* est sorti deux mois plus tôt que *Les Hurlements d'Angela*, avec presque la même scène dans les miroirs. Tout le monde savait qu'Orson Welles était un génie et personne n'a ri de lui. Ce qui n'a pas été le cas de Rex. Il n'a plus tourné depuis. Il a passé une année entière à terminer mon portrait à cheval – celui qui est dans le salon –, qu'il avait commencé avant l'accident. Je crois d'ailleurs qu'il s'est représenté lui-même sous les traits du cheval. Qu'en pensez-vous ?

Benjamin, après un regard à Rex Connors, reconnut qu'il ressemblait en effet au cheval mais jugea qu'il s'était suffisamment humilié en se représentant de cette manière.

– Non, je ne vois pas. Pas vraiment.

– Moi non plus, d'ailleurs, soupira Malvina Lansford, je n'ai plus jamais tourné. Mais pas pour les mêmes raisons…

Benjamin Tardif espéra un instant qu'elle donnerait ces raisons, mais Rex Connors intervint :

– Il faut quand même reconnaître que c'est *Les Hurlements d'Angela* qui nous fait vivre, maintenant. Il y a deux ans, Ted Turner en a fait la colorisation.

– Il m'a donné des cheveux jaunes, ricana Malvina Lansford. Et il s'est complètement fourvoyé sur la teinte de mon rouge à lèvres. Dire que ce type a épousé une actrice !

– Cela nous a quand même rapporté quelques milliers de dollars, continua Rex Connors, que j'ai investis dans la distribution d'une vidéocassette du film. Et il s'en vend chaque mois quelques centaines d'exemplaires.

– Les imbéciles, ricana Malvina Lansford, se reproduisent avec autant de régularité que les génies.

Justin Case, que cette conversation avait cessé d'intéresser depuis plusieurs minutes, manifesta son approbation par un bâillement bruyant.

Soutinelle ouvrit la bouche pour réprimander son frère. Malvina Lansford ne lui en laissa pas le temps.

– C'est vrai qu'il se fait tard, mes enfants, dit-elle gentiment. Rex va vous montrer vos chambres.

Soutinelle et Benjamin héritèrent d'une grande chambre sombre qui n'avait rien de superbe, mais dont le papier peint partiellement décollé ne se vit plus dès qu'ils eurent éteint la lumière. Le matelas de plumes se révéla inconfortable lorsqu'ils essayèrent de dormir. Mais ce n'était pas bien grave, car ils trouvèrent autre chose à faire.

Le deuxième jour

Il y avait, entre le bord du store et l'appui de la fenêtre, une ouverture très mince par laquelle quelques-uns des premiers rayons du soleil pénétraient avec parcimonie.

Et le hasard voulut que ces rares rayons tombent dès l'aube directement dans l'œil droit de Benjamin Tardif, qui maudit le soleil et son créateur s'il en avait eu un, l'architecte et le constructeur de la maison qui avaient placé là la fenêtre, la personne (déménageur, décorateur ou femme de ménage?) qui avait placé le lit à cet endroit, et même Soutinelle qui avait insisté pour coucher du côté gauche. Mais celle-ci ne pouvait pas vraiment être tenue responsable de ce désagrément, puisqu'elle n'avait aucun moyen de savoir la veille au soir qu'en faisant coucher Benjamin du côté droit du lit il aurait le soleil dans l'œil à l'aube.

Il eut beau pester contre l'humanité tout entière sans distinction d'âge, de sexe ou de religion, force lui fut de reconnaître qu'il était lui-même et lui seul à l'origine de ce problème : il était incapable de dormir ou même de rester au lit lorsque la lumière du jour le réveillait.

Cela faisait en général son affaire : qui se lève tôt finit de travailler tôt, ou a plus de temps pour ne rien faire s'il n'a pas à travailler. Mais il y a une exception à toute règle, et ce matin-là était l'exception à cette règle-là. Benjamin aurait aimé dormir encore un peu auprès de Soutinelle, d'autant plus que leur nuit n'avait pas été uniquement consacrée au sommeil.

Il ferma les yeux et les maintint fermement clos tant qu'il fut capable. Cinq minutes après que les rayons fatidiques se furent écartés de son visage et eurent entrepris leur lente course sur le mur opposé à la fenêtre, Benjamin dut toutefois se rendre à l'évidence : il n'était pas fait pour les grasses matinées.

Il appliqua sur la joue de Soutinelle un léger baiser dans l'espoir qu'elle s'éveille, mais en prenant bien soin qu'il soit assez léger pour ne l'éveiller que si elle en avait envie.

Le visage de la jeune femme fut parcouru par un frémissement léger mais paresseux.

Benjamin se leva doucement, s'habilla discrètement, sortit en fermant la porte mollement, descendit l'escalier sur la pointe des pieds, en s'arrêtant un moment chaque fois qu'une marche grinçait (cela fit vingt-deux pauses en vingt-six marches), et entrouvrit le plus silencieusement possible la porte de la cuisine.

Le plus inattendu des spectacles s'offrit à lui : Justin Case était en train de préparer du café. Qu'il soit debout quelques minutes après l'aube avait déjà de quoi étonner. Mais qu'il sache faire du café – un plein percolateur électrique des années cinquante, avec un capuchon en verre dans lequel le liquide sautillait gaiement – était totalement étonnant de la part d'un personnage pareil. Benjamin résolut de lui confier dorénavant cette tâche tous les matins tant qu'ils voyageraient ensemble.

Du geste, Justin lui demanda s'il voulait du café et l'invita à s'asseoir.

Dès qu'il eut goûté au liquide, Benjamin démit l'ex-shérif de la seule fonction utile qu'il avait cru possible de lui trouver. Ce café était une combinaison parfaitement réussie d'un mauvais mélange de mauvais grains mal torréfiés, d'une mouture trop rapide dans un moulin de piètre qualité et d'une percolation en trop petite quantité dans un appareil incapable de donner un café buvable même avec les meilleurs grains du monde torréfiés et moulus à la perfection.

– Bon café, non?

Benjamin préféra changer de sujet.

– Qu'est-ce que tu fais debout si tôt?

– Moi? Je vais me chercher du travail. Est-ce que tu penses que je vais vivre à tes crochets – surtout avec ce que le Wasfoolia va te coûter après ce que tu lui as fait hier soir?

– Qu'est-ce que tu veux faire? Devenir flic à Beverly Hills?

Il avait dit *a Beverly Hills cop*, fine allusion à la série de films qui n'en était encore qu'au numéro deux mais qui avait toutes les discutables qualités nécessaires pour rejoindre sinon dépasser éventuellement en nombre celles des *Rambo* et des *Rocky*.

Justin ne sourcilla pas. Les aventures d'Eddie Murphy ne s'étaient probablement jamais rendues jusque dans son coin du Texas.

– Non, je vais plutôt chercher quelque chose pas trop loin du *law enforcement* – agent de sécurité, peut-être. J'ai les Pages Jaunes.

Benjamin remarqua sur le comptoir de la cuisine que l'annuaire des commerces était ouvert et que quelques pages – sans doute celles présentant les entreprises spécialisées dans l'application de la loi et de l'ordre – en avaient été déchirées.

– C'est très bien, dit-il. Moi, je vais m'occuper du Westfalia.

Ils sortirent en même temps.

Justin prit à droite, vers Beverly Hills. Benjamin se mit en marche vers la gauche. La perspective de s'éloigner de Justin le réconciliait avec le reste de l'humanité. Et puis le peu qu'il connaissait de Beverly Hills le portait à croire que les stations-service n'y seraient pas particulièrement nombreuses, tandis qu'au bas de cette colline, où se trouvaient les grandes avenues et les autoroutes, il devait fatalement y en avoir une.

– De toute façon, tous les chemins mènent à une station-service, conclut-il.

Cela ne l'empêcha pas, quelques pas plus loin, de demander à un petit garçon aux grands yeux qui le regardait passer devant la maison bardée de contreplaqué en face de celle de Malvina Lansford et Rex Connors :

– Y a une station-service, par là?

L'enfant ne répondit pas. Une fillette à peine plus âgée sortit de derrière les buissons et entoura son petit frère – ce ne pouvait être que son petit frère, parce qu'elle avait les mêmes grands yeux au regard farouche – d'une paire de bras protecteurs.

Benjamin soupçonna à leurs vêtements blancs et à leur teint foncé qu'ils pouvaient être des Latino-

Américains fraîchement arrivés – ou nés aux États-Unis de parents fraîchement arrivés.

– *Stacion de servicio?* reprit-il en espérant que ce soit de l'espagnol.

Aussitôt surgit encore de derrière les buissons une femme toute jeune. En fait, ce ne pouvait être qu'une adolescente à peine pubère, mais, à la manière dont elle se plaça avec un air déterminé et menaçant devant les deux enfants, ce pouvait aussi bien être leur mère.

– Exxon, Shell, Fina? tenta alors Benjamin en espérant que les marques d'essence constituaient un langage international.

Il sembla bien que non – en tout cas pas dans le pays d'Amérique latine dont venaient ses interlocuteurs.

Il allait ouvrir la bouche pour risquer *reparacion*, *mecaniciano* et *voitura en panna* lorsque deux autres femmes – tout à fait adultes, celles-là – surgirent à leur tour des buissons, chacune portant un bébé sur la hanche et dissimulant dans ses jupes deux ou trois enfants guère plus vieux.

La première femme se pencha, ramassa un caillou et le lança en direction de Benjamin – avec une mollesse qui signifiait plus « Va-t'en » que « Lapidons l'infâme ».

Effectivement, le caillou se contenta de tomber loin devant lui, roula sans conviction et vint s'immobiliser à ses pieds.

Les enfants ramassèrent à leur tour des cailloux – tous petits, comme s'ils venaient d'un pays où des lois régissaient la taille des cailloux à lancer aux étrangers – et les jetèrent d'une main tout aussi molle en direction de Benjamin.

Sans y rien comprendre, celui-ci décida de prendre la fuite. Il courut une vingtaine de pas avant de s'arrêter pour regarder ses agresseurs.

Ils étaient une vingtaine maintenant – femmes et enfants – et ils sautaient de joie, comme s'ils avaient réussi à mettre en déroute les troupes de Hernán Cortés ou de Norman Schwarzkopf.

Benjamin haussa les épaules et continua son chemin en se promettant de demander à Malvina Lansford ce qu'elle savait de ses étranges voisins.

Il prit la première précaution du marcheur en terrain inconnu : décider d'un trajet qu'il pourrait retrouver aisément à son retour. Il alla donc tout droit vers le bas de la colline en cherchant de l'œil une indication de rue. Mais il n'en trouva aucune qui n'ait pas été rendue parfaitement illisible par la rouille ou par des trous de plombs dus à des chasseurs à la recherche de cibles d'exercice gratuites.

Pour passer le temps, il se demanda comment traduire « Not Quite Beverly Hills ». Littéralement, c'était « Pas tout à fait ». Mais son expérience de traducteur lui avait appris que l'expression la plus évidente n'était pas toujours la meilleure et qu'il réussissait bien mieux dans son travail lorsque, justement, il se mettait à la recherche non de l'évident mais du subtil. Pourquoi pas « Presque Beverly Hills » ? Non : « Presque », c'était trop sec. « Quasiment » ? Ce n'était pas dépourvu de charme. Et que dire de « Presquement », jolie combinaison des deux précédents ?

Après un bon quart d'heure de marche et de cogitation pendant lequel il fit le tour approximatif des

synonymes de «Pas tout à fait» – «Approximative-
ment», «Quasi», «Aux alentours», «Environ», «À
vue de nez» et «Peu s'en faut», sans oublier «À peu
près» et «Pour ainsi dire» – il en arriva à la conclu-
sion que le meilleur était encore «Pas tout à fait
Beverly Hills».

Il oublia ces préoccupations de traducteur en vacances lorsque le chemin qu'il suivait se sépara en
deux voies d'accès à une autoroute. Les panneaux
indicateurs étaient déroutants pour le voyageur ne
connaissant rien des banlieues de Los Angeles et
ayant négligé d'apporter une carte : d'un côté, Encino,
Tarzana et Thousand Oaks; de l'autre, Glendale,
Pasadena, Arcadia.

Il prit la rampe de gauche en direction de Tarzana
et en hommage aux films de Johnny Weismuller qui
avaient enchanté quelques samedis après-midi de son
enfance lors de séances de cinéma à vingt-cinq cents
dans un sous-sol d'église paroissiale.

La circulation était dense et rapide, et il dut se
réfugier sur un étroit trottoir apparemment conçu pour
les unijambistes. Mais il ne fut pas longtemps frôlé par
les voitures roulant à toute vitesse. Six autoroutes à
trois couloirs chacune convergeaient devant lui vers
une seule. Celle-ci avait beau compter cinq couloirs,
l'effet mathématique de ce chef-d'œuvre des travaux
publics californiens se traduisait par un immense
bouchon s'étendant à perte de vue et qui lui permit
dans les quelques minutes qui suivirent de dépasser
plusieurs centaines d'automobilistes résignés à leur
immobilité, puisque la plupart en profitaient pour lire

le journal et évaluer l'effet des cotes de la Bourse sur leur fortune personnelle. Certains se rasaient, d'autres parlaient au téléphone. Bref, la vie continuait malgré le bouchon ou peut-être même redevenait-elle normale à cause de lui. Mais personne ne songeait à éteindre le moteur de son véhicule, et l'immobile procession des voitures se perdait au loin dans un épais nuage rose sale.

Pour échapper à l'asphyxie, Benjamin prit la première sortie de l'autoroute et fut ravi de constater que l'avenue qu'il venait d'emprunter était décorée des enseignes de presque tout ce que l'Amérique comptait comme sociétés pétrolières – d'Aramoil à Ziepetco.

Malheureusement, il constata bientôt qu'il ne s'agissait que de postes d'essence en libre-service, dont les préposés (pour une moitié des filles plutôt jolies et pour l'autre moitié des adolescents boutonneux) n'avaient pas la moindre idée de l'endroit où il pourrait faire réparer son véhicule. Sans doute les voitures de Los Angeles dont les moteurs passaient le plus clair de leur temps à tourner au ralenti sur les autoroutes avaient-elles peu souvent l'occasion de tomber en panne.

Le plus vieux de ces préposés (un solide gaillard qui devait avoir presque dix-sept ans révolus) lui proposa le numéro de téléphone des *wreckers* – ces gens dont la tâche essentielle consiste à enlever de la façon la plus rapide et la plus coûteuse possible les voitures qui ont la mauvaise grâce de tomber en panne sur les autoroutes où elles font du surplace. Benjamin Tardif avait déjà eu affaire à ce genre de mauvais service et il se méfia :

– Combien ils demandent?

– Cent dollars minimum, je crois.

– Et où portent-ils les voitures?

– Par là, je pense.

Benjamin continua donc «par là». Il dut marcher un bon kilomètre encore avant d'arriver en vue d'un établissement susceptible de réparer son Westfalia. Une série de panneaux maladroitement peints à la main avec un souverain mépris de l'orthographe le présentaient comme un commerce spécialisé dans tout ce qui pouvait toucher de près ou de loin l'automobile. «Vente de pneux» – surtout des marques dont Benjamin Tardif n'avait jamais entendu parler : Kellerman, Particelli, Zoomeramoto. «Location de voitures à pris d'amis» – mais il n'y avait là aucune voiture susceptible d'être louée à un ami, à moins que celui-ci ne se lance à l'aventure dans une Lada en état de corrosion totale ou dans un immense cabriolet Pontiac du début des années soixante-dix, à la toile déchirée et rapiécée avec des bouts de papier collant. «Vie d'ange d'uile», «remplaceman des ammortisseurs», «réfexion des placquettes de frains», tout semblait mécaniquement et orthographiquement possible dans ce Bill's Auto World, «spécialiste des voitures aimportées et domestiks». Mais ce qui rassura le plus Benjamin quant à la possibilité d'y faire réparer son Westfalia fut le fait qu'un homme en salopette y travaillait sous une fourgonnette Volkswagen d'un âge plus vénérable encore que celui de son propre véhicule. Qui peut réparer du très vieux peut, à plus forte raison, réparer du plutôt vieux.

– Vous réparez les fourgonnettes Volkswagen? demanda-t-il, pour plus de sûreté, à la paire de jambes qui dépassaient de sous le véhicule.

– Quand elles sont réparables, fit une voix joyeuse.

Le propriétaire de cette voix montra une tête noire (de naissance, quoique les taches de cambouis pouvaient aussi avoir contribué à en foncer le teint). Un vaste sourire s'ouvrant sur des dents blanches et une coiffure d'inspiration africaine rendue tout aussi blanche par l'âge et la poussière faisaient encore ressortir la couleur de la peau.

Benjamin fut rassuré par ce «quand elles sont réparables». L'instant d'après, il perdit sa belle assurance en constatant que le sourire de son interlocuteur pouvait très aisément être interprété comme le souhait d'être forcé de porter un diagnostic d'irréparabilité après avoir passé des heures aussi coûteuses que nombreuses à tenter de prouver le contraire.

– Où elle est? demanda celui qui ne pouvait être que l'éponyme du Bill's Auto World.

– C'est qu'elle est en panne, expliqua Benjamin.

– Où elle est? insista Bill.

– Not Quite.

– J'ai demandé où elle est, pas si elle est capable de rouler.

– Je veux dire qu'elle est à Not Quite Beverly Hills.

Il accompagna sa réponse d'un geste qui pouvait englober toutes les parties de la Californie où le Westfalia était susceptible de se trouver (c'est-à-dire les trois cent soixante degrés de l'horizon, car il ne savait plus très bien où il était rendu par rapport à son point de départ).

– Vraiment? dit Bill en faisant les yeux ronds.

– De l'autre côté de l'autoroute, en tout cas, précisa Benjamin.

Il avait parlé avec conviction. L'important, dans une première étape, n'était pas de trouver le Westfalia mais plutôt de se mettre à sa recherche.

Bill sourit et se tourna vers chacun des points cardinaux, forçant Benjamin à reconnaître qu'il y avait des autoroutes dans toutes les directions où son regard pouvait porter.

– Si vous venez avec moi, je pense bien qu'on pourra la retrouver, même s'il était sûr que Bill refuserait.

Mais Bill devait en avoir assez de passer sa journée sous une fourgonnette pissant l'huile et puant le cambouis, car il s'essuya les mains sur sa salopette et annonça :

– D'accord, on y va. Entrez là-dedans.

Ils montèrent dans la Lada rouillée – sans doute la seule de tous les États-Unis, où les voitures russes n'ont jamais été mises en vente, pour cause de guerre froide. Benjamin imagina qu'un voyageur canadien ou un obscur diplomate russe avait dû l'abandonner après s'être trouvé incapable de régler la facture et que Bill en avait arraché l'écusson pour faire croire qu'il s'agissait plutôt d'une authentique Fiat 124.

Bill conduisait nerveusement, comme s'il avait été au volant d'une Ferrari sortant de l'usine. Il gardait le nez avancé au-dessus du volant, jetait de fréquents coups d'œil dans les trois rétroviseurs (surtout celui de droite, dont le miroir était pourtant brisé), passait les vitesses avec entrain, rétrogradait dès qu'il y avait une voiture stationnée à moins de cent mètres devant lui et reprenait un régime élevé bien avant d'être parvenu à la dépasser.

Malgré cette fébrilité, Benjamin se rendit à peine compte du changement de vélocité lorsque, sur ses instructions, la Lada s'engagea sur l'autoroute surchargée. Heureusement, Bill avait prévu le coup et il partagea avec son passager un sandwich de la veille et un *America Daily* du mois précédent, où Benjamin eut au moins la satisfaction d'apprendre que les Canadiens de Montréal avaient battu les Kings de Los Angeles en prolongation la veille de l'impression du journal.

— Cette sortie-ci? lui demanda Bill alors qu'il constatait que le dollar canadien avait gagné zéro virgule un centième de cent sur son homologue américain alors que, depuis un mois, il en avait perdu le double au moins vingt-neuf fois.

— Je suppose, dit-il prudemment.

Il n'en fallut pas plus pour lancer la Lada dans une folle course à plus de vingt kilomètres à l'heure en descendant la rampe.

— Et maintenant?

— Tout droit, décida Benjamin en feignant de connaître la direction à suivre.

La Lada affronta une longue montée dans laquelle Bill changea cent fois de vitesse sans effet notable sur la lenteur du véhicule.

— En fait, précisa Benjamin, Not Quite Beverly Hills est juste à côté de Beverly Hills. Vous connaissez sûrement. Il y a des maisons plutôt vieilles, dans ce coin-là. Et la plupart sont fermées par des panneaux de contreplaqué.

Cette fois, Bill éclata franchement de rire. Des deux côtés de la rue dans laquelle ils roulaient, trois maisons sur quatre étaient fermées par des panneaux. La quatrième, en plus mauvais état encore, était tout simplement abandonnée sans la moindre protection.

Ils roulèrent jusqu'au sommet de la colline – sans que Benjamin ne reconnaisse les lieux. Là, une impasse les força à redescendre par un chemin parallèle. Ils remontèrent par un autre, redescendirent encore. Bref, ils durent parcourir une trentaine de kilomètres en deux heures dans la Lada roulant au maximum de ses capacités.

– Je suis désolé, avoua enfin Benjamin qui commençait à craindre que la seule recherche du Westfalia ne lui coûte plus cher que les réparations les plus onéreuses. J'abandonne. Combien je vous dois?

Sans arrêter, la Lada roulant à une vitesse parfaitement compatible avec la rédaction d'une facture, Bill tira de sa poche un carnet et de sa chevelure un crayon. Il entreprit de savants calculs.

– L'essence, ça vous va?

– Oui, dit Benjamin en craignant que deux heures dans ce véhicule aient pu coûter des dizaines de dollars.

– Bon, bien alors, ce sera deux dollars, décida Bill. À payer avec la réparation.

Benjamin tendit pourtant un billet de vingt dollars à Bill, qui le refusa. Il remit le billet dans sa poche et ouvrit la portière de la Lada, dont aucun indice sérieux ne lui permettait de croire qu'elle était en mouvement, et tomba sur le derrière dans la rue. Le temps qu'il se relève, Bill avait freiné, mis en marche arrière et était revenu à sa hauteur.

– Dites donc, cria Bill par-dessus le grognement du moteur, vous connaissez l'histoire du Petit Poucet?

– Non, pourquoi?

Bill se contenta d'un grand sourire de ses dents blanches, remit le levier de vitesses en première et appuya à fond sur l'accélérateur. Le moteur de la Lada imita le bruit d'un bolide de Formule 1 franchissant la ligne de départ et la voiture se lança en avant à la vitesse d'un homme marchant au pas dans un mètre de neige.

Benjamin resta seul au bord du chemin. Bien entendu, il connaissait l'histoire du Petit Poucet, et il finit par comprendre que Bill lui recommandait, la prochaine fois qu'il partirait à la recherche d'un garage, de marquer son chemin avec des croûtons de pain ou des cailloux.

Repoussant cette idée ridicule, il repartit rapidement – enfin à pied – et eut quelques minutes plus tard l'immense mais trop tardive surprise de se retrouver chez Malvina Lansford et Rex Connors.

Il entra, ne vit personne au rez-de-chaussée.

– Soutinelle! appela-t-il tout doucement d'une voix qui n'aurait pu réveiller Malvina Lansford si elle avait fait la sieste, ni être entendue de celle qu'il appelait si elle avait été à plus d'un mètre de lui.

Il jeta un coup d'œil dans la cuisine, la salle à manger et le salon. Personne.

Il s'aventura dans l'escalier, tout doucement, en s'efforçant de ne pas faire grincer les marches, qui acceptèrent gentiment de ne se plaindre qu'à demi. Il n'y avait personne dans la chambre où il avait passé la nuit avec Soutinelle. Personne non plus dans celle de Justin. Il passa devant une autre pièce encore et remarqua une robe jetée par terre – la robe jaune de Soutinelle, celle qu'il préférait entre toutes (ce qui n'était pas bien difficile, puisqu'il ne lui en connaissait que deux). Près de la robe gisaient aussi un soutien-gorge, une culotte à dentelle et deux chaussures. Il allongea le cou et aperçut Soutinelle, nue, étendue par terre sur un drap blanc. Et Rex Connors était agenouillé devant elle.

Benjamin s'élança et sa main gauche agrippa le col du vieux cinéaste, tandis que sa droite se refermait et heurtait le menton du vieillard, qui tomba à la renverse aux pieds de Soutinelle en entraînant avec lui un immense appareil photo comme on n'en faisait plus depuis l'invention du daguerréotype.

– Vieux cochon ! lança Benjamin.

– Idiot ! protesta Soutinelle. On fait des photos.

– Des photos pour vieux vicieux, ricana Benjamin.

Rex Connors tentait de se relever en se tâtant le menton, mais fut repoussé du bout du pied. Soutinelle prit le vieil homme dans ses bras, le pressa contre sa poitrine nue. Il se laissa faire.

– Benjamin Tardif, dit Soutinelle, si tu le touches encore, tu ne me reverras plus jamais de ta vie.

La menace força ledit Benjamin Tardif à se tenir tranquille.

— On a pris des photos pour mon dossier de presse, ajouta Soutinelle. Et ensuite Rex m'a demandé de poser pour son livre *L'Amérique noire nue.*

— C'est un livre qui n'avance pas très vite, expliqua Rex Connors, parce que je manque de modèles. Mais si vous voulez bien cesser de me taper dessus, je suis disposé à vous montrer où il en est pour l'instant.

Benjamin eut un ricanement sceptique qui lui valut un nouveau regard hargneux de la part de Soutinelle.

— Bon, d'accord, accepta-t-il de mauvaise grâce. Montrez-moi ça.

Rex Connors se releva et fit un détour pour allumer le plafonnier sans passer à portée des poings de Benjamin. Il sortit ensuite de sous un divan une grande chemise remplie d'agrandissements, qu'il déposa par terre devant lui. Benjamin s'approcha, ouvrit la chemise et reconnut que jamais violence n'avait été moins justifiée que la sienne.

Il y avait là des photos tout à fait saisissantes de femmes noires – plusieurs jeunes, mais d'autres plutôt âgées et certaines aux cheveux blancs. Toutes étaient nues. Mais on ne voyait pas un sein, pas un poil pubien. Rien d'autre que de grands yeux brûlants et des jeux de lumière sur des peaux texturées.

— Je suis désolé, se contenta-t-il de dire.

— J'ai essayé, s'enhardit Rex Connors, de rendre ce que, je crois, aucune femme au monde ne possède au même degré que la femme noire : ces yeux de charbon au milieu d'un blanc profond. Chez leurs hommes, c'est le sourire, pas les yeux, qui se remarque. Les femmes ont un regard brûlant, tantôt triste, tantôt rieur, mais toujours provocant comme s'il pouvait vous transpercer le cœur pour lire ce qu'il y a dedans. Et il y a cette peau à la texture si nette qu'elle donne un grain même au papier glacé. On sent qu'elle est bien plus qu'un épiderme superficiel : c'est une partie de l'âme de ces femmes.

Benjamin en convint. C'était justement une des mille et une choses qui lui plaisaient chez Soutinelle. Pendant quelques minutes, il examina les photos, résista à l'envie de dire à Rex Connors qu'il était bien meilleur photographe que cinéaste.

— Je pense, avoua-t-il à Soutinelle, que ce serait une bonne idée que tu sois dans ce livre.

— J'y ai pensé avant toi, fit-elle méchamment.

— Ce n'est rien, assura Rex Connors en se frottant le menton. Nous avions justement fini notre séance. Et je crois que l'appareil aura besoin d'un peu de repos, lui aussi.

Il regarda sa montre.

— Ah! c'est l'heure de téléphoner aux producteurs. Suivez-moi.

Soutinelle enfila sa robe et ils passèrent dans un petit bureau où Rex Connors ouvrit un carnet d'adresses relié de cuir.

— Voyons voir. Tiens, Josh Silverman. J'ai lu dans *Action!* – c'est le journal de l'industrie du cinéma – qu'il prépare son calendrier de production.

Il composa un numéro.

— M. Silverman, s'il vous plaît. C'est de la part de Rex Connors, mademoiselle. Le cinéaste. Vous savez bien : *Poussière et fumée, L'Ombre de la flèche,*

Les Hurlements d'Angela... Vous allez peut-être au cinéma, parfois, mademoiselle ? Merci.

Il se tourna vers ses invités en mettant la main sur le téléphone.

– Ces jeunes téléphonistes ! Elles travaillent à Hollywood mais ne regardent que la télévision.

Il remit le combiné à son oreille.

– Non ? Pouvez-vous lui demander de me rappeler ? Il s'agit...

À la tête qu'il fit, Benjamin comprit qu'on lui avait raccroché au nez et eut pitié du pauvre vieux qui se faisait manifestement dire qu'on ne daignerait même pas retourner son appel.

Rex Connors composa ensuite deux numéros, hors de service tous les deux. Il fouilla dans son carnet, hochant la tête avec tristesse comme si tous les gens dont les noms s'y trouvaient étaient morts depuis longtemps.

– Ah, Lou Ginotti ! s'exclama-t-il enfin. Lui aussi, il a débuté dans les films d'épouvante. Avec un succès financier considérable, quoique la réussite artistique n'ait pas toujours été évidente. Depuis quelques années, il s'est recyclé dans les *remakes*. D'après *Action!*, il se propose même d'en faire en employant des sosies des vedettes d'autrefois. J'espère que vous n'avez pas d'objection à débuter dans ce genre de production.

Non, Soutinelle n'y voyait pas le moindre inconvénient. Au contraire, elle semblait se voir déjà dans le rôle principal d'une version moderne d'*Autant en emporte le vent,* dans laquelle la maîtresse de maison serait noire et la servante blanche.

– Le bureau de M. Ginotti, s'il vous plaît, demanda Rex Connors après avoir composé un autre numéro. Ici, Steven Spielberg…

Il adressa un clin d'œil à ses invités.

– J'ai en ce moment dans mon bureau une jeune actrice noire de grand talent. Je me demande si M. Ginotti ne daignerait pas la recevoir?

Il y eut un long silence à la suite duquel Rex Connors déclara :

– C'est parfait. Elle s'appelle Soutinelle Case.

Il raccrocha.

– Ça tombe bien : il donne une réception ce soir à Beverly Hills. Mademoiselle Case est maintenant sur la liste des invités.

Soutinelle battit des mains joyeusement.

– Vous avez une carte des environs? demanda Benjamin autant dans l'espoir de retrouver son chemin la prochaine fois qu'il partirait à la chasse aux stations-service que pour trouver la villa de Lou Ginotti.

– C'est juste à côté, sur la même rue, passé le sommet de la colline. D'ailleurs, vous savez que Beverly Hills a déjà essayé de nous annexer? Mais nous nous étions faits à l'idée de ne pas payer de taxes municipales, parce que nous n'appartenons à aucune municipalité. Il est vrai que nous n'avons aucun service municipal, non plus. Je vais porter les ordures à Beverly Hills, c'est plus chic que d'aller les porter dans la ville en bas de la côte. Bref, quand Beverly Hills a voulu nous avaler, nous avons combattu vaillamment, avec l'appui de nos voisins d'en face, qui sont maintenant décédés. Aujourd'hui, ce quartier est trop décrépit pour qu'ils s'intéressent à nous. Et Beverly Hills serait obligé de chasser tous les Latino-Américains qui squattent dans les maisons abandonnées, ce qui lui donnerait mauvaise presse. De plus, il paraît qu'il pourrait y avoir du pétrole par ici. Vous imaginez ça, des derricks à Beverly Hills?

Benjamin songea que ces hypothétiques derricks dissimulaient peut-être un début d'explication à la quasi-lapidation dont il avait fait l'objet ce matin-là. Il allait poser une question à ce sujet lorsque Malvina Lansford arriva, dans son fauteuil roulant.

— Votre frère a téléphoné tout à l'heure, dit-elle à Soutinelle. Il a trouvé un emploi. Et il travaille ce soir.

Soutinelle battit encore des mains. Benjamin montra moins d'enthousiasme spontané.

— Qu'est-ce qu'il fait?

— Il a parlé de *law enforcement*, quoi que cela veuille dire.

Ils dînèrent encore de *chili* Grandma Thurston, car Justin avait affirmé à Malvina Lansford que Benjamin en était friand et elle avait envoyé Rex Connors en chercher une provision supplémentaire.

Benjamin insista pour faire la vaisselle tandis que Soutinelle montait se changer.

Il sortit de la cuisine alors qu'elle descendait l'escalier, dans une robe de satin mauve qu'il ne lui connaissait pas mais qu'il aurait juré avoir déjà vue quelque part.

— C'est la robe que portait Malvina pour la scène des chiens dans *Les Hurlements d'Angela*, expliqua Soutinelle.

Benjamin s'en souvenait maintenant : impossible d'oublier une scène pareille. Mais la robe allait à Soutinelle comme si elle avait été taillée sur mesure.

– Tu as l'air d'une vedette de cinéma, dit-il.

– Vraiment?

– Je te jure.

Elle lui sauta au cou.

Dix minutes plus tard, ils avaient franchi la colline qui séparait le Pas tout à fait Beverly Hills déchu, envahi par les ronces et les mauvaises herbes, du véritable Beverly Hills riche et clinquant, avec ses pelouses soigneusement entretenues.

Ils arrivèrent devant l'immense villa de Lou Ginotti. De ce côté de la rue était garée une collection complète de voitures de toutes les marques chères. Pas seulement des japonaises et des allemandes, mais aussi deux italiennes et quelques belles américaines des années trente. De l'autre côté s'alignaient des véhicules typiquement californiens – trois *dune buggies*, plusieurs motos, quelques vélos avec guidon à appuie-bras, un quadricycle, un tandem et une dizaine d'auto-caravanes à des degrés divers de détérioration. « D'un côté, les producteurs et les vedettes, songea Benjamin ; de l'autre, les acteurs impécunieux. »

En s'approchant, Soutinelle était aussi enchantée que s'ils avaient fait leur entrée à la soirée des oscars. Et sa robe, que Benjamin avait à première vue jugée un peu trop chic, convenait parfaitement à la foule brillamment habillée qui se pressait là. Benjamin, lui, se sentait mal à l'aise, dans sa chemise jaune et son pantalon vert tout à fait ordinaires, alors que plusieurs hommes portaient le smoking classique à revers noirs rendu moins classique par l'adjonction de tissus farfelus – fluorescents, à paillettes ou en denim délavé.

À la porte, un gardien en uniforme demandait aux gens de s'identifier et s'assurait que leur nom se trouvait bien sur la liste des invités.

— Votre nom, s'il vous plaît? demanda-t-il à Soutinelle Case.

— C'est moi, ta sœur, idiot, répliqua-t-elle.

— Je fais mon travail, pas besoin de m'insulter, riposta Justin Case dans son uniforme à l'insigne de l'agence de sécurité Rambo Vigilantes.

Il consulta sa liste.

— Soutinelle Case, vous dites? Oui, je vous ai, dit-il en s'écartant pour laisser passer sa sœur.

Benjamin allait lui emboîter le pas, mais Justin lui bloqua le chemin.

— J'ai pas de Ben Tardif sur ma liste.

— Mais je suis avec elle.

— Regardez, ajouta Justin en lui mettant sa liste sous le nez et sur un ton qui laissait entendre que s'il s'était adressé à lui en français, il l'aurait vouvoyé avec mépris. À côté de Soutinelle Case, y a pas de deux entre parenthèses. Si y a un deux, ça veut dire que c'est pour deux. Si y a pas de deux, ça veut dire que c'est pour un. C'est mathématique.

— Tu ne vas quand même pas m'empêcher d'entrer? menaça Benjamin.

Justin baissa la voix, haussa les sourcils et tourna les yeux pour désigner derrière lui, par-dessus son épaule, un individu en complet bleu marine qui avait une tête d'agent des services secrets et semblait plongé dans une conversation intime avec son téléphone portable, ce qui ne l'empêchait pas d'examiner

Benjamin Tardif comme s'il avait eu sous les yeux un ex-membre du KGB.

– Qu'est-ce que tu ferais à ma place? murmura Justin. Ce type-là me surveille de près parce que je suis un débutant, comme si mon expérience de shérif au Texas valait pas plus que celle d'un chef de louveteaux. Si tu veux entrer, t'as qu'à sauter le mur. Mais dis jamais que je t'ai dit ça.

– D'accord, promit Benjamin.

Il donna un baiser à la joue de Soutinelle.

– Passe une bonne soirée, dit-il assez fort pour que l'homme au téléphone l'entende.

Soutinelle entra chez Lou Ginotti dans sa robe mauve qui fit tourner les têtes de toutes les personnes qui se pressaient à l'entrée, y compris celle de l'agent secret qui la regarda de telle façon qu'il ne se serait aperçu de rien si son sac à main avait débordé de bâtons de dynamite.

Benjamin entreprit de faire le tour de la villa. Le mur d'enceinte était haut, mais il y avait un coin un peu moins élevé, à l'ombre de grands arbres. Il sauta, s'agrippa des deux mains et se hissa au sommet en s'étonnant qu'un mur aussi bas ne soit même pas protégé par des tessons de bouteille.

Il comprit lorsqu'il regarda en bas, de l'autre côté. Il y avait un jardin désert, avec une immense piscine. Mais la maison avait été construite en terrain fortement incliné, de telle sorte que de ce côté-là la dénivellation était si grande qu'il aurait presque fallu un parachute pour sauter sans se casser le cou. Et l'immense piscine était si loin qu'un sauteur olympique aurait eu besoin de cent mètres d'élan pour espérer y plonger.

Benjamin s'apprêtait à redescendre du côté d'où il était venu lorsqu'il se souvint de la robe mauve de Soutinelle. Pas question de laisser celle-ci se promener dans celle-là au milieu d'une soirée vraisemblablement fréquentée par des acteurs libertins et des producteurs libidineux.

Il ramassa son courage et chercha la façon la moins suicidaire de descendre de l'autre côté du mur.

Il choisit de se laisser tomber sur un buisson fleuri qui amortirait sa chute.

Et le buisson fit exactement cela. Mais il était aussi rempli d'épines. Sitôt après y avoir atterri, Benjamin s'en extirpa si brusquement qu'il en tomba dans la piscine.

« Heureusement, personne ne m'a vu », se dit-il en prenant appui sur le bord de la piscine après être remonté à la surface.

– Champagne ? fit une voix qui lui était familière.

Il leva les yeux. Le visage qui se penchait vers lui au-dessus d'un plateau sur lequel s'offraient une douzaine de flûtes de champagne lui était aussi familier que la voix.

Il eut un moment d'embarras.

– Je ne suis pas elle, fit la voix de Marilyn Monroe. Mais je vous comprends de vous y laisser prendre. J'ai gagné trois concours d'imitatrices. Ma voix, surtout. J'ai la même. Je suis née comme ça.

Benjamin en convint. Mais, à la manière dont la jeune femme était penchée vers lui dans une robe jaune dénudant ses épaules, il devinait que les juges avaient sans aucun doute été également impressionnés par la poitrine de la candidate, même si elle n'était pas née comme ça.

– Lou m'a demandé de passer le champagne autour de la piscine. Mais vous êtes le premier client, si je peux vous appeler un client. Je suppose que Lou ne dira rien si je passe le champagne dans la piscine, pas seulement autour.

Elle eut un petit rire – pathétique comme celui du modèle original l'était parfois – et Benjamin se sentit aussi ému qu'on peut l'être lorsqu'on est tout habillé dans une piscine remplie.

Il était tout près de l'échelle et il se hissa hors de l'eau.

– Voilà, dit-il, je suis maintenant *autour* de la piscine. Lou Ginotti ne trouvera rien à redire.

Ils rirent tous les deux tandis qu'il s'emparait d'une flûte.

– Vous ne buvez pas? demanda-t-il.

– Non. Dès que je prends deux gouttes de champagne, la tête me tourne et je deviens une vraie idiote. Et il faut que je fasse attention, parce que Lou m'a promis un rôle dans un de ses films. Un *remake* d'*Ève*. Et vous ne devinerez jamais quel rôle je vais avoir…

– Celui de Marilyn Monroe – ou plutôt de Miss Caldwell, dit Benjamin qui constata aussitôt qu'il venait de priver la jeune femme du plaisir de le lui annoncer elle-même.

– Oui, soupira-t-elle. On voit que vous connaissez le cinéma. Je parie que vous écrivez des scénarios.

Flatté, Benjamin protesta sans conviction :

– C'est-à-dire que… c'est à peu près ça. J'accompagne ici une de mes amies et je la conseille dans ses projets de films.

– Oh, c'est très bien! dit la fausse Marilyn.

Benjamin regretta-t-il de ne pas avoir utilisé pour parler de Soutinelle une expression plus forte et plus proche de la réalité – «fiancée», par exemple, qui ne veut pas du tout dire «fiancée» en anglais, mais qui aurait été tout à fait indiquée? Ou avait-il fait exprès de minimiser ses liens avec elle? En tout cas, il est difficile de lui en faire reproche si on n'a jamais été comme lui en présence de Marilyn Monroe ou du plus parfait de ses sosies.

– Mais j'y pense! s'exclama la jeune femme. Peut-être que vous pourriez m'aider, moi aussi? Si ça ne coûte pas trop cher, bien entendu.

– Je fais ça tout à fait gratuitement, assura Benjamin d'autant plus généreusement qu'il n'avait encore rien fait.

– Qu'est-ce que je pourrais faire pour vous payer en retour?

La fierté de Benjamin d'avoir annoncé – quoique de façon quelque peu atténuée – l'existence de Soutinelle fut pendant une petite fraction de seconde remplacée par de moins honorables pensées. Mais il se ressaisit aussitôt :

– D'abord, m'offrir une autre flûte de champagne, dit-il en déposant son verre vide sur le plateau et en en prenant un plein. Et puis peut-être m'aider à trouver un coin où je pourrais me sécher avant de retrouver mon amie.

– Avec plaisir. Venez dans ma chambre. Les buveurs de champagne autour de la piscine peuvent bien attendre un peu.

Il la suivit dans un escalier extérieur qui montait à l'étage de la villa, puis dans un long corridor, jusqu'à une porte qui s'ouvrit sur un désordre indescriptible.

Il avait souvent vu au cinéma des désordres extravagants, résultant de fouilles effectuées par des policiers ou des criminels, mais il reconnut que celui-là battait tous les records et qu'il aurait sûrement fallu trois jours de travail à une grosse équipe d'accessoiristes pour recréer un tel capharnaüm.

Le lit, la chaise, les poignées de porte, les lampes, tout ce qui pouvait servir de crochet était surchargé de robes, de chemisiers, de pantalons, de sous-vêtements. Il avança lentement dans la pièce, à la recherche d'espaces suffisants pour poser la pointe des pieds entre les chaussures qui jonchaient le plancher.

– J'ai toujours beaucoup de mal à choisir quoi porter, expliqua la jeune femme en posant son plateau sur une demi-douzaine de robes qui encombraient une table basse.

– Je vais tordre mon linge dans la salle de bains, proposa Benjamin. Ce sera mieux que de faire des flaques partout.

– Mais j'y pense! s'exclama-t-elle tandis qu'il se dirigeait vers la salle de bains. J'ai des vêtements d'homme. Ou presque. Lou m'a fait faire des essais pour un *remake* des *Désaxés*.

Elle se laissa tomber dans les vêtements empilés sur le lit.

– J'ai le chemisier, s'exclama-t-elle. Et le jean. Je devrais aussi avoir les chaussettes.

Il attrapa les vêtements qu'elle lui lançait. Et il constata bientôt que, comme il seyait à des vêtements provenant d'un film intitulé *The Misfits*, ceux-ci lui étaient fort mal ajustés.

Le jean était enfilable – de justesse. Le fessier était trop vaste, la taille le serrait comme un corset et les cuisses menaçaient d'éclater.

Le chemisier blanc était, on le devinera, moins serré à condition de ne pas le boutonner jusqu'à la taille. Rappelant les chemises d'homme, il avait pourtant quelque chose d'indiscutablement féminin, surtout pour quiconque avait déjà vu le même sur Marilyn Monroe dans *Les Désaxés*. Ou pour l'œil observateur qui remarquait que les boutons étaient du mauvais côté.

Quant aux chaussettes, elles étaient désassorties – l'une mince, courte et blanche, l'autre verte, longue et en laine épaisse – et il préféra rester pieds nus dans ses chaussures détrempées.

Il s'examina dans le grand miroir derrière la porte et fut forcé de reconnaître que sa nouvelle tenue lui donnait un aspect efféminé. Par contre, cela lui conférait une certaine élégance qu'il ne se connaissait pas, malgré le style négligé. Et puis il valait mieux être habillé comme ça que de se promener dans des vêtements trempés.

– Vous êtes superbe ! s'exclama la jeune femme en le voyant sortir de la salle de bains. J'ai mis vos vêtements dans la sécheuse, à côté. Venez, je vais vous présenter à Lou. Il doit être dans la salle de billard.

Benjamin eut un instant d'hésitation. C'était Soutinelle qu'il cherchait, et non le producteur. Il emboîta toutefois le pas à la jeune femme en se disant que se mettre à la recherche de Lou Ginotti serait le moyen le plus simple de retrouver Soutinelle, puisqu'elle était vraisemblablement elle aussi à sa recherche.

Ils descendirent au rez-de-chaussée et traversèrent un immense salon. Benjamin sentit sur lui des regards brûlants. Il crut d'abord que c'était uniquement la compagnie d'une femme aussi spectaculaire qui lui valait cette attention. Puis il se mit à soupçonner que ses vêtements à lui aussi avaient de quoi étonner. Il constata même que certains regards masculins étaient flatteurs et non moqueurs comme il s'y serait attendu. En particulier celui d'Arnold Schwarzenegger – le véritable, un faux ou son frère jumeau? – qui lui bloqua carrément le chemin :

– Bonsoir! Si on allait terminer ça chez moi? susurra-t-il en appuyant lourdement sur le mot *terminate*.

Benjamin bredouilla «Pas ce soir» et continua à se frayer un chemin parmi la foule qui se serrait sur le passage de la fausse Marilyn.

Il entra à sa suite dans une grande pièce au milieu de laquelle trônait une table de billard américain, abandonnée au profit d'un billard électrique entouré d'une douzaine de personnes – toutes des hommes, à l'exception de Soutinelle – qui se retournèrent vers les nouveaux arrivés. Seuls deux hommes en smoking classique firent de toute évidence exprès de ne pas les regarder.

– Chut! murmura l'à peu près Marilyn, il est en train de donner un cours.

Qui pouvait bien donner un cours de ce jeu appelé de façon bien saxonne *flipper* par les Français et de manière plus descriptive mais pas nécessairement plus française «machine à boules» par les Québécois?

Ils s'approchèrent tous les deux en s'efforçant de ne pas déranger la partie qu'ils avaient interrompue. Mais ce fut peine perdue, car l'attention de l'assistance s'était irrémédiablement éloignée du billard électrique.

La fausse Marilyn s'installa à droite de l'appareil – en face de Soutinelle à qui elle adressa un gentil sourire qui ne lui fut pas rendu.

Benjamin, partagé entre le désir de plaire à Soutinelle et celui de ne pas vexer sa nouvelle amie, choisit de rester au centre, un peu en retrait des deux hommes qui lui tournaient toujours le dos.

Jamais il n'avait eu à ce point l'impression d'être le plus illustre des inconnus. Tous les hommes dont il voyait le visage ressemblaient à s'y méprendre à une vedette de cinéma présente ou passée.

La moitié de ces hommes quittèrent Soutinelle et choisirent de se presser autour de la nouvelle venue. Un James Stewart de quarante ans, un Mel Gibson coiffé comme dans le premier *Mad Max*, un Humphrey Bogart plus âgé que l'original à son décès mais malgré tout fort ressemblant et un Sylvester Stallone à la musculature quelque peu sous-développée furent ceux qui optèrent pour la simili-Marilyn, tandis que le Laurence Olivier de l'époque d'*Hamlet* et le Peter O'Toole jeunot de *Lawrence d'Arabie* restèrent aux côtés de Soutinelle, en compagnie de l'Elvis Presley en combinaison à paillettes et du Tom Cruise tout bêtement souriant.

Apparemment incapable de trancher, un Marcello Mastroianni qui n'avait pas pris une ride depuis *La Dolce Vita* manœuvra pour se rapprocher de Benjamin.

Celui-ci lança un clin d'œil à Soutinelle qui l'examinait avec autant de stupéfaction que s'il était ressuscité des morts sans attendre le Jugement dernier. Que pouvait-elle penser de le voir dans des vêtements différents? Le clin d'œil ne lui fut pas rendu.

– Je peux jouer, maintenant? demanda d'une voix impatiente l'homme aux commandes du *flipper*.

Benjamin avança la tête pour mieux le voir. C'était un petit homme qui semblait incarner tout ce que l'Amérique devait de bon et de mauvais à l'Italie. Il avait les joues joufflues d'Al Capone, le nez aquilin de Marlon Brando, la lippe capricieuse d'Al Pacino, le sourire maladroit de Luciano Pavarotti, le regard fatigué de Mario Cuomo. Et s'il avait existé un portrait ressemblant de Christophe Colomb, Benjamin était disposé à croire que Lou Ginotti – ce ne pouvait être que lui – lui aurait ressemblé aussi.

– Il n'y avait personne à la piscine, dit l'émule de Marilyn Monroe pour s'excuser d'avoir abandonné son poste.

Lou Ginotti ne daigna pas réagir à ses propos. Il tira la manette du billard électrique et une bille d'acier se lança à l'assaut des butoirs.

Le panneau lumineux, orné de dessins en couleur représentant les grandes vedettes du cinéma des années trente et quarante, apprit à Benjamin Tardif que cette version du jeu s'appelait « All-Star Blockbuster ».

– Lorsque nous avons été interrompus, dit Lou Ginotti, j'expliquais que les auteurs de ce jeu se sont fourvoyés en considérant les vedettes de cinéma comme les principaux responsables du succès aux guichets.

La bille frappa successivement quatre petites photos pivotantes – les frères Marx. Au tableau lumineux, sous la mention *box office*, plusieurs millions de points s'inscrivirent en cliquetant.

– À cette époque, continua Lou Ginotti, c'était presque compréhensible. Pourtant, même alors, il existait un personnage sans lequel une vedette est un inconnu, un film n'est que de la pellicule vierge, et le *blockbuster* espéré se transforme en désastre financier.

– Le scénariste ? zézaya Marcello Mastroianni.

Lou Ginotti secoua la tête. La bille venait de s'immobiliser, coincée entre un flipper et son pivot.

Il actionna le *flipper* à plusieurs reprises. La bille refusa de bouger. Il tapota doucement le côté de l'appareil. Sans effet. Il le secoua un peu plus fort. Et le mot *TILT* se mit alors à clignoter sur le tableau tandis que les cent treize millions de spectateurs comptabilisés sous *box office* retombaient à zéro.

Lou Ginotti grimaça et jeta un œil courroucé en direction de Marcello Mastroianni.

– Je parlais du producteur, murmura-t-il entre ses dents pour bien montrer qu'il faisait des efforts pour contenir sa fureur, comme si les spectateurs disparus du tableau avaient été de véritables amateurs de cinéma exigeant maintenant qu'on leur rembourse leur billet.

Le sosie de Marilyn Monroe jugea le moment propice à une interruption :

– Lou, je te présente mon nouveau conseiller en scénarisation. C'est bien comme ça qu'on dit?

– Benjamin Tardif, dit Benjamin en tendant la main à Lou Ginotti qui la serra mollement.

– C'est justement lui, le scénariste génial dont je vous parlais tout à l'heure, intervint à son tour Soutinelle qui n'avait pas du tout envie de se faire voler son conseiller en scénarisation avant même qu'il ne se soit mis au travail.

– C'est très bien, fit Lou Ginotti en examinant de nouveau Benjamin.

De toute évidence, sa tenue lui plaisait. Son expérience lui avait-elle démontré qu'une allure efféminée rendait l'homme plus doué pour la scénarisation? Ou bien de constater que le scénariste de Soutinelle Case ne possédait pas l'orientation sexuelle susceptible d'en faire son amant lui laissait-il le chemin libre?

Edward G. Robinson se pencha derrière l'appareil. Il poussa un bouton qui fit disparaître l'infâme *TILT* et ranima toutes les lumières du tableau.

Lou Ginotti remit la main sur le poussoir à ressort, l'étira sans le relâcher et reprit son cours de cinéma à l'intention de sa petite cour.

– En fait, vous le savez comme moi, il n'y a pour un producteur que deux façons de faire de l'argent avec constance et régularité à Hollywood. D'abord, la suite. Mais le hic du *sequel*, c'est qu'avant de faire *Rocky V* ou *Rambo IV* il faut d'abord faire *Rocky* tout court ou *Rambo* zéro.

L'assistance, à l'exception de Benjamin, hocha la tête gravement, d'un beau geste parfaitement synchronisé.

— L'autre moyen d'éviter de perdre sa chemise à Hollywood, continua Lou Ginotti, c'est le *remake*. Il exige beaucoup de créativité et de sensibilité. D'abord, il faut imaginer quel vieux sujet poussiéreux est le plus susceptible de connaître le succès aujourd'hui si on le reprend en couleur, en cinémascope et avec cent fois plus d'argent. Ainsi, on revient aux sources les plus riches de notre art national. Mais vous, dans quel genre vous spécialisez-vous : le *sequel* ou le *remake* ?

Benjamin n'était spécialiste ni de l'un ni de l'autre, ni de toute autre forme de cinéma.

— Moi, voyez-vous, risqua-t-il en cherchant un mensonge qui lui permettrait de ne pas renier entièrement ses convictions, je serais plutôt du genre à donner dans le scénario original.

Lou Ginotti s'interrompit, le regarda un bon moment comme s'il avait affaire à un lunatique de la plus rare espèce.

— Il faut que je vous parle, dit-il pourtant à l'intention de Benjamin. Dehors, les acteurs !

Les fausses vedettes quittèrent la salle en un clin d'œil. Soutinelle sortit la dernière, après avoir jugé que si elle ne sortait pas cela serait interprété comme un renoncement au titre d'actrice. Seul Edward G. Robinson resta, avec l'évidente permission du producteur.

Celui-ci relâcha tout doucement le poussoir et la bille se contenta d'avancer de quelques millimètres avant de revenir à son point de départ.

— Tous ces clones sont des imbéciles, dit-il. Et j'ai bien peur de ne plus avoir besoin d'eux. Voyez-vous, la vogue des *remakes* n'aura pas duré longtemps, en ce pays où les avocats sont rois. Après avoir multiplié par dix les frais d'hospitalisation avec des poursuites pour faute professionnelle, ils s'attaquent maintenant à la plus américaine et à la plus sacrée des activités humaines : le cinéma. Ce matin, j'ai reçu un avis de poursuite pour mon *remake* de *Citizen Kane*.

— Cinquante millions de dollars, précisa Edward G. Robinson. La poursuite, pas le budget.

À bien y regarder, ce dernier avait plus une tête de comptable qu'une tête de gangster, bien que celle-ci ne soit aucunement incompatible avec celle-là.

— Nous allons régler pour moins que ça, poursuivit Lou Ginotti, et puis nous avons une assurance avec clause de propriété intellectuelle.

— Mais la prime va devenir prohibitive, renchérit Edward G. Robinson, à moins, bien entendu, que nous ne renoncions à cette clause.

— Donc, plus moyen de faire de profit avec des *remakes*. En fait, on peut finir par y perdre beaucoup d'argent.

— Des centaines de millions, précisa Edward G. Robinson.

— Ce soir, les sosies ne le savent pas, dit gravement Lou Ginotti, mais ils assistent à leur fête d'adieu.

Benjamin se sentit soudain quelque peu attristé pour celle dont il portait les vêtements.

— Même Marilyn? demanda-t-il.

— Oh! de toute façon, il n'a jamais été sérieusement question qu'elle fasse du cinéma.

Benjamin sentit monter d'un cran supplémentaire son antipathie envers Lou Ginotti.

— Dorénavant, poursuivit le producteur, on ne fait que des films originaux. C'est pourquoi votre amie m'intéresse.

Benjamin, qui s'apprêtait à tourner les talons et à sortir de cette maison en emmenant Soutinelle de force s'il le fallait, mit son projet en suspens et prêta l'oreille.

— D'abord, elle nous est chaudement recommandée par Spielberg. Je comprends pourquoi : elle a un visage comme on en a rarement vu au cinéma. Malheureusement, les scénaristes de Hollywood n'ont jamais de bons rôles pour les Noires. C'est tout juste si on leur fait jouer les transsexuels drogués dans les films policiers. Il y a bien quelques comiques qui tirent leur épingle du jeu… Votre amie est-elle dramatique ou comique?

Benjamin ne voyait pas du tout Soutinelle détrôner Whoopi Goldberg.

— Romantique, je dirais.

— Peu importe, fit Lou Ginotti. Car finalement c'est bien plus vous qui m'intéressez. Vous n'êtes pas un scénariste d'ici. Vous avez donc des idées fraîches. Apportez-moi un scénario avec un bon rôle pour une Noire, et votre fortune est faite.

Benjamin n'aurait pas demandé mieux, mais il y avait un petit problème : il n'avait jamais écrit une ligne de scénario ni jamais projeté d'en écrire une. Il n'avait même pas la moindre idée de ce que le sien pourrait raconter si jamais il entreprenait de le rédiger.

— Je ne demanderais pas mieux, dit-il, mais il y a un petit problème : j'en ai encore pour quelques semaines...

— Un synopsis est amplement suffisant. Venez le présenter à notre comité de scénarisation. Il se réunit vendredi matin, à nos bureaux. Vous n'avez qu'à donner un coup de fil à Edgar pour fixer l'heure.

Edward G. Robinson tendit à Benjamin une carte sur laquelle il lut : « Productions Lou Ginotti, Edgar J. Berenson, Directeur, Comité d'évaluation des concepts pour l'écran ».

— On vous attend vendredi ?

Benjamin s'apprêtait à répondre qu'il avait menti en laissant entendre qu'il était scénariste, et que si Lou Ginotti voulait un scénario il n'avait qu'à en commander à des professionnels. Mais, au moment où il ouvrit la bouche, il se produisit un phénomène prodigieux. Ce fut Soutinelle qui répondit à sa place, par sa voix :

— J'y serai.

Satisfait, Lou Ginotti se tourna vers le billard électrique, étira le poussoir à fond et lança la bille à la conquête des vedettes du temps jadis.

Benjamin se souvint que ses vêtements tournoyaient dans la sécheuse depuis un bon moment et s'éclipsa pour communiquer la bonne nouvelle à Soutinelle.

Il ne la vit pas. Il monta à l'étage. L'appareil ne tournait plus. La chemise et le slip étaient secs. Le pantalon n'était plus qu'un petit peu humide à la ceinture. Il se déshabilla pour se changer.

Juste au moment où il achevait de retirer le jean qu'elle lui avait prêté, la fausse Marilyn entra dans la buanderie.

— J'ai renversé du champagne, dit-elle en enlevant prestement sa robe et son soutien-gorge, bien avant que Benjamin ait eu le temps d'enfiler son slip sec.

Il ne croyait pas aux pressentiments. Mais il en eut un tout à coup : il était très urgent qu'il s'habille sans tarder, sinon un grand malheur risquait de s'abattre sur lui.

En effet, avant qu'il ait entré plus de la moitié du bout d'un orteil dans son slip, la porte s'ouvrit et la tête de Soutinelle apparut. Il prit alors conscience que rien ne ressemblait plus à un homme qui enlève son slip qu'un homme qui est en train de le mettre.

La fausse Marilyn était tournée vers lui, la poitrine nue, et venait de lancer sa robe dans la machine à laver. Se pouvait-il que Soutinelle n'imagine pas qu'ils étaient en train de se déshabiller tous les deux ?

Absolument pas. La porte se referma aussitôt, avant que Benjamin ait eu le temps de prononcer le classique, pathétique et totalement inefficace : « Attends, je vais tout t'expliquer. »

Le temps qu'il mette ses vêtements et descende au rez-de-chaussée, Soutinelle avait disparu.

Il demanda à un Ronald Reagan sans cou de dindon et à une Natalie Wood pas noyée du tout s'ils avaient vu la femme noire dans une robe mauve qui avait l'air d'une actrice mais ne ressemblait à aucune actrice connue. Non et non.

À la porte, Justin avait vu sa sœur partir en taxi.

– Seule?

– Non.

– Avec un homme?

– Oui.

– Merde!

Benjamin était catastrophé. Convaincue qu'il la trompait avec la fausse Marilyn, Soutinelle ne pouvait faire autrement que le tromper à son tour. D'ailleurs, n'était-ce pas ce que sa propre mère avait fait lorsque son père avait conçu son frère avec sa maîtresse?

Qui l'accompagnait, maintenant, et était sûrement déjà sur le point de se jeter au lit avec elle, à moins que la robe mauve ne l'ait incité à copuler sur la banquette du taxi? Tom Cruise, Mel Gibson, Elvis Presley? Benjamin ne se sentait pas de taille à affronter pareils adversaires, même s'ils n'étaient que des copies conformes.

– À qui ressemblait-il? demanda-t-il à Justin pour obtenir la confirmation irrévocable de sa déroute définitive.

– À un chauffeur de taxi, comme de raison.

Benjamin résista à la tentation d'invectiver celui qui pourrait devenir son beau-frère s'il ne l'assassinait pas auparavant. Il courut jusque chez Malvina Lansford, même s'il savait que Soutinelle n'y serait pas avant lui.

Le troisième jour

Une voiture s'arrêta devant la maison. Benjamin Tardif alluma la lampe de chevet et regarda sa montre : trois heures du matin. Quelques instants plus tard, Soutinelle entra dans la chambre.

Incapable de dormir, il avait eu tout le temps de jongler à la manière dont il l'accueillerait, et était passé mille fois d'un extrême à l'autre : les reproches et les excuses. Et il venait tout juste de décider qu'il ne s'excuserait et ne s'expliquerait qu'une fois que Soutinelle se serait elle-même excusée et expliquée.

— As-tu cent vingt dollars pour le taxi? chuchota-t-elle comme si elle avait voulu lui parler sans le réveiller.

Eut-elle peur que son compagnon juge que c'était bien mince comme excuse et guère plus substantiel comme explication? Elle ajouta aussitôt :

— J'ai roulé sans arrêt, j'avais à réfléchir.

Benjamin songea qu'elle aurait pu réfléchir tout aussi efficacement et beaucoup plus économiquement sur un banc de parc. Il tendit quand même la main vers son portefeuille.

— Et puis, ajouta Soutinelle, je suis tombée sur un chauffeur de taxi fidjien qui ignorait où sont les grandes lettres de Hollywood. Il ne savait même pas de quoi je parlais. Tu te rends compte?

Benjamin lui tendit douze billets de dix dollars sans demander plus d'explications et elle descendit payer le taxi.

– Elle n'est pas là, au moins? demanda-t-elle en revenant.

– Qui?

– La fille.

Il s'efforça de rire et lui raconta ses mésaventures, depuis sa chute dans la piscine jusqu'au moment où la fausse Marilyn et la vraie Soutinelle avaient surgi à tour de rôle alors qu'il se changeait en toute innocence. Soutinelle finit par trouver cela plutôt drôle elle aussi, avant de lui poser la seule question qui lui tenait vraiment à cœur :

– Je peux compter sur toi pour mon scénario?

Benjamin protesta énergiquement. Il n'avait jamais écrit de scénario – mais il savait écrire, c'était l'essentiel, selon Soutinelle. Il n'avait pas d'ordinateur, ni même de machine à écrire – mais elle en avait vu une dans la petite pièce qui servait de bureau à Rex Connors. Il n'avait pas la moindre idée de scénario – mais pourquoi ne commencerait-il pas par raconter la manière dont ils s'étaient rencontrés? suggéra-t-elle. L'anglais n'était pas sa langue maternelle – mais Soutinelle soutint, à tort ou à raison, que la plupart des scénarios de Hollywood étaient écrits par des étrangers qui parlaient plus mal l'anglais que lui. Finalement, il fut forcé de se replier sur la dernière chose qui l'embêtait dans ce projet.

– Écoute, je veux bien essayer de t'écrire un scénario. Mais je ne sais pas du tout si tu es une bonne actrice. Je ne t'ai jamais vue jouer la moindre scène. Et je n'ai pas envie de suer sang et eau pour écrire une histoire que tu ne serais pas capable d'interpréter et qui finirait par être jouée par une autre actrice.

– C'est vrai que ce serait mieux si tu savais comment je joue, convint Soutinelle. Veux-tu que j'improvise quelque chose?

– D'accord.

– Quel genre de scène?

– Une scène de... je ne sais pas... de séduction, peut-être?

Avait-il une idée derrière la tête ou était-il aussi innocent qu'il en avait l'air? Hypocrite ou sincère, Benjamin n'en fut pas moins, à peine huit minutes et treize secondes plus tard, totalement séduit et irrémédiablement convaincu que Soutinelle Case était la meilleure actrice que la Terre ait jamais portée.

– Je t'aime, lui dit-il pour la première fois. Je t'aime comme je n'ai jamais aimé une femme.

– Moi aussi, je t'aime. Autant que j'aimais mon mari.

Benjamin leva un sourcil dubitatif.

– Plus encore que lui, peut-être, ajouta Soutinelle.

Il crut néanmoins qu'elle lui disait cela plus pour lui faire plaisir que parce que c'était vrai. Peut-être était-elle le genre de femme qui ne peut aimer un homme totalement que lorsqu'elle est unie à lui par les liens du mariage? Il passa à un cheveu de lui offrir de les nouer avec elle, alors que les refuser avait été

75

jusque-là la pierre angulaire de ses relations avec les femmes.

Ces déclarations d'amour ne l'empêchèrent pas, au petit déjeuner qu'il servit au lit, de mentir sans vergogne à Soutinelle. À la question « Tu vas t'en occuper ? », il répondit « Tout de suite », bien qu'il ait plutôt eu l'intention de s'occuper d'abord et avant tout du Westfalia – tâche bien plus urgente à ses yeux.

Rassurée qu'il veillait au grain, Soutinelle décida de faire la grasse matinée pour récupérer de sa nuit en taxi. Benjamin descendit à la cuisine où il retrouva Justin, qui avait l'air aussi épuisé que sa sœur.

— Tu peux te vanter de m'avoir fait travailler toute la nuit, commença la nouvelle recrue des vigiles Rambo.

— Pourquoi ? demanda Benjamin en ouvrant une armoire où il trouva ce qu'il cherchait : une bombe de peinture aérosol.

— As-tu parlé à une fille qui ressemble à Marilyn Monroe ?

— Marilyn Monroe ? Je ne me souviens pas très bien.

Il ouvrit le capuchon de la bombe, appuya sur le bouton-poussoir et s'envoya un petit jet de peinture bleue sur l'index gauche.

— Elle a été assassinée la nuit dernière. On l'a retrouvée étranglée, à côté de la piscine. On sait pas si elle a été violée. Mais, si tu veux mon avis, ça m'étonnerait pas.

Aussitôt, Benjamin se sentit submergé par un mélange de pitié et de honte. Pitié pour cette fille gentille et naïve qui l'avait aidé à se débarrasser de ses vêtements mouillés. Honte de n'avoir rien fait pour elle.

Il ne s'était même pas donné la peine de la prévenir que Lou Ginotti n'avait aucune intention de lui faire faire du cinéma.

— Qui l'a tuée?

— La police recherche un type qui a été aperçu avec elle près de la piscine au début de la soirée. Il avait une chemise jaune et un pantalon vert.

Benjamin n'eut pas à baisser les yeux pour se rappeler qu'il commençait à être à court de vêtements propres et avait remis la chemise jaune et le pantalon vert qu'il avait portés la veille.

Il déposa la bombe de peinture sur la table.

— Je vais voir la police.

— Fais pas l'idiot, protesta Justin. J'ai tout arrangé. J'ai dit que le type en jaune et vert à qui j'ai refusé l'entrée hier soir avait les deux dents d'en avant qui manquaient. Ça peut pas être toi.

— Je vais quand même aller à la police dire tout ce que je sais.

— Qu'est-ce que tu sais?

— Eh bien! rien…

À quoi bon raconter à Justin ses mésaventures avec la quasi-Marilyn?

— Si tu sais rien, garde-le pour toi. Parce que si tu vas à la police, je passerai pour un menteur et je perdrai mon emploi. À ta place, je resterais ici bien tranquille. Surtout, je m'approcherais pas de la maison de Lou Ginotti. Je ferais bien attention à mes dents d'en avant. Et je jetterais mes vêtements jaunes et verts.

Justin avait raison. En allant voir la police, Benjamin se mettrait en tête de la liste des suspects. Et comment savoir ce qui pouvait se passer si jamais on ne retrouvait pas le vrai coupable? Il trouva dans le Westfalia des vêtements pas trop sales et se changea.

Il rentra dans la maison et chercha une poubelle où laisser son pantalon et sa chemise de la veille. Il n'en trouva pas. Il y avait sous l'évier de la cuisine une boîte de sacs à ordures. Malheureusement, elle était vide.

Il roula ses vêtements, les glissa sous son bras, mit la bombe aérosol dans sa poche et sortit. Il trouverait sûrement une poubelle sur le chemin du Bill's Auto World.

La suggestion de Bill de relire *Le Petit Poucet* n'était pas si ridicule, après tout. Le meilleur moyen de retrouver infailliblement le chemin de Pas tout à fait Beverly Hills : peindre sur la chaussée une flèche chaque fois qu'il changerait de direction. Ce qu'il fit dès le devant de la maison, plus pour vérifier encore le bon fonctionnement de la bombe que pour retrouver son chemin une fois qu'il serait tout à fait revenu.

Quatre enfants hispaniques vinrent l'examiner sans lui jeter de cailloux cette fois et s'enfuirent en courant lorsqu'il tenta de leur expliquer qu'il ne travaillait ni pour Exxon, ni pour Fina, ni pour Getty, ni même pour Ziepetco.

Devant la maison où s'étaient réfugiés les enfants, il aperçut une poubelle tellement rouillée et cabossée qu'il crut d'abord qu'elle avait été mise au rebut une vingtaine d'années plus tôt et que, les éboueurs ne s'étant pas présentés, elle attendait toujours, avec l'infinie patience dont sont capables les poubelles, d'être ramassée. Mais un coup d'œil à l'intérieur lui révéla qu'elle était à moitié remplie d'ordures assez fraîches

pour attirer des milliers de mouches. Il y jeta ses vêtements d'autant plus volontiers qu'il ne viendrait pas à
l'idée des policiers d'aller fouiller dans des poubelles
latino-américaines infestées de mouches si jamais ils
se pointaient de ce côté.

Il peignit quatorze autres flèches sur la chaussée
avant de retrouver Bill qui le félicita de son ingé-
niosité comme s'il ne lui avait pas lui-même suggéré
cette idée. Ils repartirent dans la Lada en suivant les
flèches quelque peu zigzagantes. Sur le siège arrière,
Benjamin Tardif aperçut un exemplaire apparemment
tout frais du *Beverly Hills Stargazer*. Il l'ouvrit, chercha en vain l'annonce de la mort de l'actrice.

— Vous cherchez quelque chose? demanda Bill.

— Non, rien.

— C'est le journal d'hier.

Cette fois, les coéquipiers de Wayne Gretzky avaient
battu les plombiers de Montréal. Et le dollar canadien
avait perdu quelques plumes. De quoi démoraliser tout
Québécois en voyage. Ils roulèrent pendant une bonne
demi-heure.

— C'est loin, ton faux Beverly Hills? demanda Bill.

— Non. Un quart d'heure de marche, peut-être.

— Ça fait une demi-heure qu'on roule.

Il était vrai que la Lada ne roulait guère plus vite que
Benjamin pouvait marcher. Mais de là à prendre deux
fois plus de temps pour parcourir la même distance…

— Et puis, ça fait trois fois qu'on passe devant cette
boulangerie.

Benjamin vit par la fenêtre une boulangerie vantant
son pain agro-biologique, qu'il avait lui aussi déjà
remarquée au moins une fois.

Ils firent encore un tour et Benjamin fut forcé de constater que ses flèches les faisaient tourner en rond.

– Je n'y comprends rien, dit-il en se demandant s'ils n'auraient pas par hasard confondu ses flèches bleues avec les marques d'un marathon ou d'une course cycliste.

Il fut bien forcé de demander à Bill de le laisser descendre pour essayer de retrouver à pied son Pas tout à fait Beverly Hills.

Il suivit son instinct plutôt que les flèches et fut bientôt devant la demeure de Malvina Lansford et Rex Connors, où l'attendait la clé de l'énigme.

Les quatre gamins de tout à l'heure le regardaient avec un sourire narquois. Benjamin crut d'abord que c'était son imagination qui leur donnait cet air ironique. Mais il remarqua tout à coup que le plus grand des enfants – il pouvait avoir huit ou neuf ans – avait une tache de peinture bleue sur son pied gauche nu. Il fit semblant de passer devant eux sans leur porter d'attention, puis se précipita sur le garçon à la tache bleue et le saisit par le bras. Les quatre enfants se mirent à hurler de frayeur. Deux femmes sortirent de la maison. L'une d'elles, sans doute la mère du garçon que Benjamin retenait par le bras, tenta de lui arracher l'enfant, mais il ne lâcha pas prise.

– Ce petit saligaud m'a peint des flèches partout et je viens de perdre deux heures à cause de lui, dit-il en anglais. J'aimerais au moins savoir pourquoi il ne veut pas que je fasse réparer mon Westfalia.

La mère le regarda avec de grands yeux étonnés. L'autre femme rentra dans la maison et revint avec un énorme couteau de cuisine. Mais Benjamin refusait toujours de lâcher sa proie.

– *Look*, dit-il en pointant vers le pied bleuté du garçon. *Pintura blua. La colora de mias flechas.*

Cela ne sembla guère plus compréhensible pour les quatre femmes (deux autres venaient de se joindre aux premières) et la vingtaine d'enfants qui s'étaient agglutinés autour de lui.

Une des femmes dit alors quelque chose en espagnol et huit des enfants partirent en courant dans toutes les directions.

Il se passa encore deux ou trois minutes pendant lesquelles Benjamin refusa de lâcher le garçon à la tache bleue et avant que survienne un vieillard habillé de vêtements blancs immaculés, muni d'une canne (d'un blanc douteux celle-là) et guidé par une fillette de neuf ou dix ans. Celle-ci était si belle que Benjamin se jura que, dès qu'il se serait tiré de cette sordide histoire de meurtre, il proposerait à Soutinelle de lui faire un enfant – quitte à l'épouser s'il était absolument impossible de faire autrement.

– Je m'appelle don Pancho, dit le vieillard dans un anglais fort convenable et en s'adressant à un poteau de téléphone. Quel est le problème?

– Moi, je m'appelle Concepcion, et lui c'est mon grand-père, dit la fillette en faisant faire au vieillard un quart de tour en direction de Benjamin.

Celui-ci accepta enfin de lâcher le garçon et raconta ses mésaventures – les cailloux qu'on lui avait lancés, puis ses flèches qu'on avait malicieusement mêlées à de fausses flèches, comme en faisait foi la tache bleue sur le pied de l'enfant.

Le vieillard hocha la tête.

– C'est parce que vous travaillez pour les *petro-leros*.

– Les sociétés pétrolières, traduisit Concepcion.

– Moi? Je n'ai rien à voir avec les *petroleros*.

Il finit par saisir qu'on l'avait pris pour un arpenteur au service des pétrolières (il avait effectivement eu la mauvaise idée de prononcer des noms comme «Exxon» et «Fina», abhorrés des squatters). On en avait eu la confirmation lorsqu'il s'était mis à peindre des flèches sur la chaussée. Les enfants avaient d'abord essayé de les effacer, jusqu'au moment où l'un d'entre eux avait trouvé un fond de peinture bleue. Et ils avaient ajouté assez de flèches pour que les gens d'Exxon ou de Fina en aient pour des mois à s'y retrouver. Benjamin ne put que trouver sympathique la cause de ces gens, sans pour autant voir de quelle manière il pouvait leur venir en aide. Il demanda si quelqu'un ne pourrait pas par hasard l'accompagner jusqu'au Bill's Auto World et l'aider à retrouver le chemin du retour.

– Bill, le Noir qui a une petite auto rouge? demanda don Pancho.

– Oui.

– Les enfants savent où. On va vous conduire.

Benjamin croyait qu'un des enfants – il aurait bien aimé que ce soit Concepcion – l'accompagnerait et qu'ils reviendraient ensemble dans la Lada pour montrer à Bill le chemin du retour. Mais ce ne fut pas si simple.

Don Pancho et Concepcion traversèrent le chemin et montèrent dans le Westfalia malgré les protestations de Benjamin faisant valoir que la transmission était hors d'usage. Le vieillard insista pour qu'il prenne le volant.

– Je peux faire démarrer le moteur, précisa Benjamin, mais les roues ne tourneront pas.

– Frein à main, ordonna don Pancho.

Benjamin relâcha le frein sans cesser de secouer la tête.

Le vieil homme lança un grand cri :

– *Ola, niños!*

À son appel, la vingtaine d'enfants coururent à l'arrière du Westfalia et poussèrent à l'unisson pour le sortir de l'entrée. Benjamin n'eut qu'à tourner le volant et bientôt le Westfalia dévala la côte avec allégresse, poursuivi par les enfants.

Lorsque la descente de la colline fit place à un long faux plat, le moteur niñopropulsé se remit à pousser avec une gaieté exemplaire. Même lorsqu'ils durent redoubler d'efforts pour monter la rampe de l'autoroute, les enfants manifestèrent une bonne humeur totale, comme si les véhicules automobiles étaient faits pour être poussés et non pour les transporter.

Leur allégresse disparut lorsqu'ils arrivèrent au premier bouchon. Benjamin découvrit que les Mexicains n'aiment pas rouler lentement, même lorsqu'ils ont moins de dix ans et qu'ils servent de moteur. Après quelques minutes d'attente, don Pancho tenta de sortir la tête par la fenêtre. Son second essai, une fois que Concepcion eut baissé la glace, fut plus fructueux. Il cria quelque chose aux enfants, qui se mirent à hurler en chœur d'une manière qui ressemblait à s'y méprendre à la sirène d'une ambulance. Tellement que les conducteurs des voitures précédant le Westfalia, convaincus qu'une ambulance s'efforçait de se frayer un chemin dans la circulation avant que son passager ne soit tout à fait mort, s'écartèrent de leur mieux d'un côté et de l'autre pour libérer un couloir. Le Westfalia se remit à avancer.

Benjamin faisait des petits saluts amicaux aux automobilistes qu'il doublait, histoire de se faire pardonner cette facétieuse façon de déboucher les bouchons.

Il ne fallut que dix minutes – sûrement un record des temps modernes sur ce bout d'autoroute un mercredi matin – pour arriver à la sortie suivante.

Bill ne manifesta aucun étonnement à voir arriver le Westfalia poussé par une vingtaine d'Hispaniques. Sans doute n'était-ce pas la première fois.

Il eut tôt fait de démonter la transmission et de donner quelques coups de fil pour en localiser une autre, d'occasion. Il promit que la réparation serait terminée dès le surlendemain.

Benjamin rentra à pied avec ses nouveaux amis.

Il marchait en avant de la petite troupe, en compagnie de Concepcion qui s'était emparée de sa main. Cela lui donna encore plus envie de tenir un jour dans sa main celle de l'enfant – de préférence une fille, mais un garçon ferait presque aussi bien l'affaire – qui serait le leur, à Soutinelle et à lui.

– Tu ne vas pas à l'école, une grande fille comme toi? demanda-t-il de façon légèrement paternaliste.

– Pas aujourd'hui, répondit Concepcion avec la grimace qu'inspire aux enfants intelligents le ton paternaliste des grandes personnes. Aujourd'hui, mon grand-père a besoin de mes yeux.

– De tes yeux? répéta Benjamin pour l'encourager à continuer.

– Des fois, continua Concepcion qui ne demandait qu'à continuer, il a envie de voir le ciel et les nuages. Je reste à la maison et je lui raconte tout.

– Pourquoi il ne demande pas aux plus jeunes, qui ne vont pas à l'école?

– Parce qu'il voit mieux avec mes yeux à moi.

Benjamin se pencha vers elle, regarda ses yeux, reconnut qu'avec des yeux pareils on devait voir bien mieux qu'avec des yeux ordinaires.

– Est-ce qu'il est aveugle de naissance?

– Il conduisait un autobus, à Hermosillo. C'est au Mexique. Pas tellement loin, parce qu'on peut venir ici à pied si on a beaucoup de temps. Le moteur est tombé en panne juste au milieu d'un passage à niveau. Mon grand-père a fait sortir tout le monde, et il est sorti lui aussi. Mais il avait oublié la cassette dans laquelle il gardait la recette de la journée. Il est retourné la chercher. Le train est arrivé à ce moment-là. Il a frappé l'autobus et mon grand-père a reçu la cassette dans le front. Depuis, il ne voit rien.

– Il est impossible de le guérir?

– Au Mexique, ça ne coûte pas cher. Mais ils ne sont pas capables. Aux États-Unis, les médecins disent qu'ils pourraient lui redonner la vue, mais ça coûte trop cher. Mon grand-père reste quand même ici, parce que mes oncles ont trouvé une belle maison gratuite.

Lorsqu'ils approchèrent de Pas tout à fait Beverly Hills, don Pancho offrit à Benjamin de prendre un verre d'*aguardiente* avec lui. Il refusa. Don Pancho insista. Il refusa encore. Concepcion supplia à son tour. Il accepta.

– Un seul, et tout petit, précisa-t-il.

Toutes les issues de la belle maison gratuite étaient bouchées par des panneaux de contreplaqué récupéré, que ses occupants avaient habilement transformés en portes à l'aide de charnières taillées dans des boîtes de conserve.

L'intérieur était une réplique fidèle d'un *pueblo* mexicain comme Benjamin en avait déjà vu lors de brèves vacances dans la région de Puerto Vallarta. Plusieurs cloisons avaient été enlevées totalement ou en partie, ce qui avait gauchi les plafonds et ajouté encore au charme pittoresque des lieux. La partie affaissée du toit laissait pénétrer le soleil dans une bibliothèque transformée en potager. Le mur du fond avait été recouvert d'une grande fresque représentant des montagnes, des cactus, des paysans en blanc avec des chapeaux de paille. Il y avait des bébés partout – dans la murale comme dans la vie. Des femmes s'affairaient autour de la cheminée transformée en cuisine. Un cochon tout rose se baladait au milieu des poulets. Un chien maigrelet se donnait, dans un coin, des allures de chien errant.

Les femmes, lorsque don Pancho leur apprit que le *gringo* n'était pas arpenteur des *petroleros* mais un simple voyageur qui avait peint des flèches sur la chaussée pour retrouver son chemin jusqu'au Canada, embrassèrent les mains de Benjamin avec une gratitude qu'il ne méritait d'aucune manière. Elles lui préparèrent une dégustation complète de cuisine mexicaine : des *burritos*, des *enchiladas*, du *guacamole*, des *chimichangas*. Et don Pancho lui remplit son verre d'une boisson qui ne goûtait pas grand-chose au premier verre, mais qui au deuxième lui parut tout à fait acceptable et même excellente aux troisième et quatrième.

Vers la fin de l'après-midi, des adolescents garçons et filles arrivèrent de l'école. L'*aguardiente* y était-elle pour quelque chose ? Toujours est-il que Benjamin trouva que toutes les jeunes filles étaient d'une beauté exceptionnelle. Les unes avaient tout à fait le type indien, farouche et noble, d'autres étaient plutôt du genre espagnol, langoureux et hautain, tandis que les dernières affichaient un métissage plus séduisant encore que chacune de ses composantes.

Il se sentait bien, au milieu de tant de femmes. Cela ne l'empêcha pas, par trois fois, de se lever pour aller dire à Soutinelle où il était et l'inviter à se joindre à la fête. Par trois fois, pour le forcer à se rasseoir, don Pancho lui remplit à ras bord son verre d'alcool de canne sans en renverser une goutte, comme si ses mains avaient gardé le souvenir de ce geste que ses yeux ne pouvaient voir. Et par trois fois on lui apporta encore une assiette – de *pollo en mole verde* ou de *chiles en nogada* ou d'un autre plat piquant. Et cela le changeait délicieusement du *chili con carne* en conserve.

Il fit une dernière tentative de fuite en expliquant à Concepcion qu'il devait aller retrouver sa fiancée et que celle-ci accepterait peut-être de se joindre à eux. Mais Concepcion lui fit une véritable crise de jalousie, s'accrocha à lui tant et si bien qu'il préféra renoncer.

Sous l'effet de l'alcool et de sa lubricité congénitale, il parvint à se convaincre que, de toute façon, dans peu d'années Concepcion serait une fort jolie jeune fille et que si Soutinelle n'était pas contente, eh bien, il aurait toujours une position de repli.

D'ailleurs, il commençait à comprendre l'espagnol et arrivait souvent à s'exprimer dans cette langue dont il ne connaissait, ce matin-là, qu'une douzaine de mots.

Des hommes et des femmes arrivèrent alors de leur travail avec de nouvelles provisions d'*aguardiente* qui suppléèrent à la disparition de la dernière bouteille alors même qu'il s'apprêtait à se lever pour de bon en dépit des protestations de Concepcion.

Les hommes lui furent eux aussi extrêmement reconnaissants de ne pas travailler pour l'industrie pétrolière et de les aider à rester là, même s'il se demandait toujours de quelle manière il y contribuait. Ils sortirent qui une guitare, qui une flûte, qui une trompette cabossée et se mirent à jouer. Les jeunes filles l'invitèrent à danser. Et Concepcion le laissa faire, parce que c'étaient ses meilleures amies.

On lui montra à chanter *La Cucaracha*. Il apprit qu'une *cucaracha* est une très proche parente de la coquerelle québécoise et du cafard français et il s'amusa comme un fou à danser en mimant la manière dont on essaie de tuer ces bestioles du bout du pied.

En contrepartie, il leur chanta un petit bout de *Concepcion*, de Robert Charlebois, ce qui fit bien plaisir à la petite Concepcion.

Il était très tard lorsqu'elle lui permit enfin de retrouver Soutinelle. Bien qu'il n'ait eu qu'une rue à traverser, elle tint à le raccompagner jusqu'à la grille de fer mais refusa farouchement son invitation à entrer avec lui pour faire la connaissance de sa fiancée.

Cela fut une bonne idée, car celle-ci fut étonnamment peu enchantée d'apprendre que le Westfalia serait bientôt réparé et que son amoureux pouvait chanter en espagnol (il avait d'ailleurs déjà tout oublié de *La Cucaracha,* sauf les quatre premiers mots – *La cucaracha, la cucaracha*).

– Et mon scénario? répéta-t-elle huit fois.

La dernière fois, il daigna enfin répondre :

– Tout est là.

Il pointait l'index vers sa tête hirsute. Sans doute ce geste ne fut-il guère rassurant. Car il lui valut ce qu'il prit d'abord pour une très convaincante démonstration de scène de colère, qui se révéla bientôt l'expression de l'indignation la plus authentique.

Soutinelle le conduisit ensuite dans une petite pièce où une vieille machine à écrire trônait sur un pupitre minuscule.

– J'ai passé la journée à t'aménager un bureau, dit-elle. Je t'ai même mis une feuille de papier dans la machine.

– Tu es gentille comme tout, reconnut-il bien que la feuille ait été placée horizontalement sur le chariot de l'antique appareil dactylographique.

– Tu ne sortiras pas d'ici tant que tu n'auras pas fini ton synopsis.

Il haussa les épaules, se laissa tomber sur le fauteuil à peine éventré qui occupait un coin de la pièce et entreprit de se déshabiller. Lorsqu'il eut tout enlevé sauf son slip, Soutinelle se saisit de ses vêtements, claqua la porte derrière elle et tourna la clé dans la serrure.

Benjamin resta assis avec la ferme intention d'élucider les motifs incompréhensibles qui avaient pu pousser Soutinelle à être soudain si dure avec lui.

Lorsqu'il s'endormit, seize secondes plus tard, il n'en avait trouvé aucun.

Le quatrième jour

Benjamin Tardif se réveilla. Il occupait un fauteuil inconfortable, à côté d'un petit bureau sur lequel était posée une machine à écrire, dans une pièce qu'il ne reconnaissait pas. Il se leva en se tenant la tête dans l'espoir de la rendre moins douloureuse et se tourna vers la porte. Elle était fermée à clé. Et il ne trouva de clé nulle part. Les événements de la veille lui revinrent à la mémoire, et il se souvint vaguement qu'il devait demeurer enfermé là tant qu'il n'aurait pas terminé le synopsis promis.

Il s'assit devant la machine à écrire et en retira la feuille, qu'il réinséra dans le bon sens. Il appuya sur les touches du clavier, l'une après l'autre, dans l'espoir qu'il y en aurait plusieurs de brisées ou que la machine se coincerait ou se révélerait inefficace d'une manière ou d'une autre. Mais les lettres s'alignaient impeccablement quoique bruyamment, en dépit du nom du modèle – Smith Corona Silent.

Quelques instants plus tard, attirée par le bruit, Soutinelle ouvrit la porte. Elle avait encore l'air fâchée mais lui apportait du café et du pain trop grillé.

– Qu'est-ce que tu veux manger à midi? Je suis désolée mais il n'y a plus de *chili*, dit-elle comme s'il s'agissait de la punition ultime.

– N'importe quoi, ça m'ira.

Il crut judicieux d'ajouter :

– Ça avance très bien, le scénario.

Elle lui tendit un numéro d'*Action!*

– Tu liras ça.

Elle referma la porte derrière elle. Et la clé tourna bruyamment dans la serrure.

Elle avait entouré au crayon un article intitulé «Nouveau record pour un scénario».

L'article annonçait qu'un grand studio de Hollywood venait de payer trois millions de dollars au scénariste de *Funeste obsession*.

C'était l'histoire d'un type très bien qui se mariait et découvrait que sa femme avait une jumelle, dont il tombait encore plus éperdument amoureux que de sa légitime et qui lui demandait de tuer sa sœur, ce qu'il refusait de faire. Mais il la tuait quand même dans un accident. Et la sœur emménageait aussitôt avec lui, pour se révéler quelques mois plus tard être non la sœur, mais l'épouse légitime. Sans en dévoiler plus, *Action!* assurait que le scénario était fertile en rebondissements de toutes sortes jusqu'à la fin – un *happy end* tout à fait inattendu, promettait le journal.

L'enthousiasme soulevé par la perspective de gagner trois millions de dollars fit vite place à une profonde dépression. Benjamin était incapable de jeter sur la feuille l'équivalent d'un seul dollar d'écriture.

Soutinelle revint deux heures plus tard avec une omelette au fromage et lui caressa la nuque en regardant par-dessus son épaule, pour lui montrer qu'elle n'était plus tout à fait fâchée.

– C'est du français? demanda-t-elle en lisant le mot «Qwertyuiop».

– Oui. Cela veut dire «synopsis».

Lorsque Soutinelle fut repartie et qu'il eut mangé l'omelette, Benjamin se convainquit de se mettre sérieusement au travail.

Pas pour les trois millions, ni pour être libéré de sa prison. Il décida que, si Soutinelle voulait faire du cinéma et s'il l'aimait vraiment, il n'avait qu'une seule chose à faire : écrire un projet de scénario dont elle serait l'interprète idéale et qui forcerait Lou Ginotti à l'engager.

Sous «Qwertyuiop», il écrivit «Première scène». Puis il n'écrivit plus rien. Et il se jura que, dès que Soutinelle reviendrait le voir, il jetterait la serviette.

Le silence dut inquiéter Soutinelle, car elle repointa le bout de son joli petit nez au bout d'une heure. Elle avait perdu son air sévère. En fait, elle avait l'air parfaitement désolée.

– J'ai réfléchi, dit-elle. Je n'ai pas le droit de te demander ça. Après tout, tu n'as jamais écrit de scénario.

– Mais je sais écrire, c'est ce qui compte, s'entendit dire Benjamin comme si sa bouche s'était mise à parler sans le consulter.

– Oui, mais ça ne doit pas être drôle de travailler sur une vieille machine comme celle-là.

– Elle fonctionne très bien, dit encore la bouche de Benjamin sans se préoccuper de l'opinion de son propriétaire.

– Et puis, une bonne idée de scénario, ça ne se trouve pas tous les jours. Je suis sûre que l'auteur de

Funeste obsession a réfléchi des mois avant de trouver son sujet.

– Ce n'est pas du tout évident.

Cette fois, la bouche et le cerveau de Benjamin avaient répondu à l'unisson.

– De toute façon, ajouta-t-il, ton idée de raconter la manière dont on s'est rencontrés au Texas est excellente. Je n'ai qu'à la résumer et j'aurai un synopsis original.

Soutinelle faiblissait, un peu trop vite au goût du cerveau de Benjamin, qui commençait à s'avouer vaincu.

– Oui, mais l'anglais, ce n'est pas ta langue maternelle, objecta-t-elle encore.

– Tu as vu le nom de l'auteur de *Funeste obsession* ? Mstislav Harsavardhana ! Avec un nom pareil, tu penses qu'il parle mieux l'anglais que toi ou moi ?

– Non, bien sûr, admit Soutinelle.

Elle était à court d'arguments. Le cerveau de Benjamin, lui, se serait senti de taille à trouver encore quelques raisons de ne pas écrire ce synopsis si on lui avait demandé son avis. Mais que pouvait-il faire, seul contre tous ?

– D'ailleurs, c'est très bien parti, dit Benjamin.

Soutinelle regarda les mots « Première scène » sur la feuille quasiment blanche.

– Qu'est-ce que ça veut dire ?

– C'est le titre. Une surprise.

– Ah bon !

Soutinelle adorait les surprises. Elle embrassa son scénariste dans le cou et repartit sans fermer à clé.

Il se remit au travail. Avec ardeur et détermination, pour une fois.

Dans un premier temps, cela ne fut pas si difficile. S'efforçant d'imaginer un film qui reproduirait ses mésaventures, il n'avait qu'à se souvenir de son arrivée à Nulle Part, au Texas.

Première scène : au volant d'un Westfalia, le héros (pas vraiment héroïque, mais néanmoins personnage principal) était au sommet d'une colline d'où il apercevait Nowhere et ses baies paradisiaques. Il fallait de la musique. Genre *country*, sans doute. Mais tout ce qui trottait dans la tête du scénariste, c'était la chanson que lui avaient apprise ses amis mexicains. Que chantait le premier couplet, déjà ? Ah oui ! cela lui revenait :

> *La cucaracha, la cucaracha*
> *Ya no puede caminar,*
> *Porque no tiene, porque le falta*
> *Marijuana que fumar.*

Il retranscrivit ces paroles. Que signifiaient-elles ? Il n'eut pas de mal à s'en souvenir. Il s'efforça alors d'en écrire une version qui n'utiliserait aucune lettre accentuée, puisque le clavier de la machine aurait été incapable de lui en donner. Et il trouva tout à fait acceptable sa traduction de la chanson :

> *Pauvre coquerelle, pauvre coquerelle,*
> *Incapable d'ouvrir ses ailes,*
> *Parce qu'il lui manque, elle en est marrie,*
> *Un bon gros joint de mari.*

Il y avait un os : Benjamin ignorait si les coquerelles et autres cafards avaient des ailes. S'il avait été chez lui, dans son bureau, avec ses encyclopédies, il aurait pu trouver la réponse. Mais il n'y était pas. Et puis il y avait un autre os, plus gros celui-là : sa traduction de *La Cucaracha* était parfaitement inutile dans un film qui serait vraisemblablement tourné en anglais.

Il retira la feuille, la jeta en boule sur le plancher parce qu'il n'y avait pas de corbeille dans la pièce et en inséra une nouvelle dans la machine.

Il travailla d'arrache-pied. Tant et si bien, que lorsque Soutinelle lui apporta une bouteille de Blanca y Negra vers cinq heures de l'après-midi, elle fut enchantée de constater que des dizaines de feuilles en boule jonchaient le plancher et que son scénariste venait de terminer un premier synopsis de *Nowhere in Texas*.

En vérité, il ne s'était pas beaucoup cassé la tête. Il avait raconté les événements tels qu'ils s'étaient produits, en les condensant sur trois jours. Il avait prudemment rendu plus sympathique le personnage inspiré par Justin Case, car il savait que sa sœur n'admettrait pas qu'on présente son frère comme le rustre qu'il était. Il avait aussi ajouté la scène de séduction qu'elle lui avait improvisée l'avant-veille.

— C'est pas mal, dit-elle lorsqu'elle eut terminé sa lecture des deux feuillets. Mais es-tu sûr qu'il est absolument nécessaire de présenter mon frère comme le dernier des imbéciles ?

— Mais il…, tenta de dire Benjamin pour faire remarquer que le personnage qu'il avait créé était un véritable Einstein comparé au modèle original.

– Et puis, continua Soutinelle, je trouve que tu me présentes comme une obsédée sexuelle. La scène dans la chambre, je n'accepterai jamais de jouer ça.

– Mais tu…

Il n'eut pas le temps d'expliquer que cela s'était passé comme ça l'autre nuit et qu'en plus ce serait une excellente démonstration de ses talents de comédienne.

– En fait, continua Soutinelle, il n'y a que toi qui as le beau rôle, là-dedans. Et la manière dont tu te présentes, au début, tout nu sur la plage, je trouve que c'est… Comment dit-on?

– Obscène? Narcissique? Prétentieux? proposa aimablement Benjamin.

– Exactement, confirma Soutinelle.

Il aurait bien aimé expliquer que ce ne serait pas son sexe à lui qu'on entreverrait à l'écran, mais celui d'un acteur. Soutinelle ne lui en laissa pas l'occasion. Elle se leva et sortit en lui jetant :

– Tu as le temps d'arranger ça. Je t'ai pris un rendez-vous avec Lou Ginotti, demain matin à dix heures.

– Mais il faut que j'aille chercher le Westfalia.

– Ma carrière ne te semble pas plus importante que ta fourgonnette?

Soutinelle revint une heure plus tard avec un bol de *chili* (Rex Connors avait eu la gentillesse d'aller en chercher quelques boîtes, juste pour lui) et une autre Blanca y Negra. Il crut entendre qu'elle fermait la porte à clé en quittant la pièce.

Il se lança dans une autre version du synopsis, avec une énergie renouvelée, en se répétant cent fois que son supplice serait terminé à tout jamais dès le lendemain, dix heures.

À une heure du matin, il relut une dernière fois son texte à peine lisible à cause de généreuses aspersions de liquide correcteur. Il se leva, constata que la porte était toujours fermée à clé. Il fut tenté de frapper à coups de poing pour qu'on le libère, mais cela aurait réveillé toute la maison.

Il s'installa dans le fauteuil avec l'intention de dormir. Il s'était assoupi rapidement la veille alors qu'il voulait rester éveillé. Le soir de son quatrième jour à Pas tout à fait Beverly Hills, le sommeil ne vint pas. «Rien n'est plus rétif que le sommeil», constata-t-il sentencieusement en espérant qu'une aussi plate pensée le plongerait dans les bras de Morphée. Il n'en fut rien, car le souvenir de la quasi-Marilyn revint le hanter longuement. Et il se sentit coupable sans savoir de quoi il pouvait l'être.

Le cinquième jour

Benjamin Tardif rêvait.

C'était un rêve peuplé de femmes, comme il les avait toujours aimés.

Par une belle journée de fin d'été, il marchait dans un champ de plants de maïs géants – à moins qu'il n'ait été redevenu un petit enfant? Chaque fois qu'il faisait quelques pas parmi les longues tiges, il découvrait une femme. D'abord Soutinelle, puis Malvina Lansford toute jeune, habillée en cavalière comme dans le tableau du salon, et enfin Concepcion vieillie de quelques années, avec du rouge aux lèvres et des seins qui gonflaient son corsage. Chaque fois qu'il allait s'approcher de l'une d'elles suffisamment pour la toucher, celle-ci disparaissait dans le maïs et, lorsqu'il se lançait à sa poursuite, c'était une autre qu'il trouvait et qui s'éclipsait à son tour dès qu'il arrivait à elle, pour être remplacée aussitôt par une autre encore.

Après des heures de ce manège, ou ce qui parut des heures à son subconscient impatient, celui-ci en eut ras le bol. Courir après une femme avait beau être bien plus amusant et bien moins compliqué que l'attraper, c'était lassant, à la fin. Et Benjamin finit par sortir de cette forêt de maïs pour découvrir, à son orée, une petite maison d'une seule pièce où il s'enferma à double tour.

Il trouva là, sur une table, une authentique et antique plume d'oie toute blanche. Il s'en empara et se mit à écrire en une langue qu'il ne comprenait pas. Entre ses doigts, la plume se mit soudain à battre comme un cœur. Il la lâcha et elle continua d'écrire toute seule, mais toujours des mots et des phrases inintelligibles. Il y eut alors un bruit dans la serrure. Quelqu'un y avait inséré une clé et la tournait.

Qui cela pouvait-il être?

Malvina Lansford, jeune blonde accompagnée de son affreux cheval affichant le même sourire triste que Rex Connors? Ou Concepcion avec ses grands yeux d'enfant délurée qui semblaient lire à travers lui? Ou encore Soutinelle plus séduisante que jamais, comme si elle avait décidé d'être la plus belle femme du monde, ce qui était tout à fait à sa portée dans sa robe mauve moulante?

La porte ne s'ouvrait pas. Benjamin se leva, laissa la plume continuer à écrire et s'approcha de la porte, qui s'ouvrit alors sans qu'il l'ait touchée. Il n'y avait personne. Ou plutôt non : à mieux y regarder, quelqu'un était couché sur le sol, face contre terre. Il se pencha pour lui venir en aide, retourna le corps et découvrit le visage de Marilyn Monroe, yeux clos. Un instant, il crut que c'était la vraie, vivante et endormie, mais il se rendit vite compte qu'il s'agissait de l'autre, même si elle était parfaitement identique, car elle avait de toute évidence été étranglée : elle portait au cou des marques de doigts.

Il se pencha sur la morte, mit ses mains autour de son cou, juste pour voir. Et ses doigts s'insérèrent parfaitement dans les empreintes. Si parfaitement qu'il était impensable que d'autres mains que les siennes l'aient étranglée.

Derrière lui, la clé joua de nouveau dans la serrure. Il se retourna brusquement, comme un assassin pris sur le fait.

C'était Soutinelle. Et il ne rêvait plus. Il avait fini par s'endormir assis devant le petit pupitre, la tête posée sur ses avant-bras repliés à côté de la machine à écrire.

Soutinelle entrait, portant un plateau sur lequel étaient posés deux tasses de café et quatre toasts noircis tartinés de confitures.

Il devait avoir mauvaise mine et il ne fit aucun effort pour le cacher.

— Tu as mauvaise mine, remarqua Soutinelle.

— Pas étonnant : je n'ai presque pas fermé l'œil de la nuit.

— Pauvre chéri! J'avais l'intention de venir te libérer, mais je me suis endormie.

— S'il y avait eu un incendie, j'aurais été obligé de sauter par la fenêtre, grommela-t-il.

Soutinelle eut l'air tout à fait désolée.

Enchanté d'être parvenu à faire partager sa mauvaise conscience de s'être enivré l'avant-veille avec des femmes (il y avait bien eu quelques hommes aussi, mais ce n'était pas avec eux qu'il avait dansé) et d'avoir passé une bonne partie de la dernière nuit à rêver à des femmes (Soutinelle avait fait partie de son rêve, mais elle y était nettement minoritaire), Benjamin s'attaqua aux toasts tandis que Soutinelle s'installait dans le fauteuil pour lire la dernière version du synopsis en sirotant son café et en fronçant les sourcils.

Se sentait-elle coupable d'avoir abandonné son amoureux à la merci des incendies ou cette nouvelle mouture lui plaisait-elle vraiment ou encore était-il de toute façon trop tard pour y apporter des changements? Toujours est-il qu'elle n'exigea aucune révision et se contenta d'exprimer ses réserves de façon quelque peu détournée.

— Tu leur diras bien que c'est seulement un premier jet? demanda-t-elle en arrivant au bas de la première page.

Elle revint à la charge au milieu de la page suivante :

— N'oublie pas de leur expliquer qu'avec l'aide de scénaristes professionnels, il est possible de faire beaucoup mieux.

Et elle conclut en tournant la dernière page :

— S'ils peuvent comprendre que c'est ton tout premier scénario, ça devrait pouvoir aller.

— Je peux m'habiller, maintenant?

— Je vais chercher tes vêtements.

Elle revint quelques instants plus tard avec ses chaussures, une paire de chaussettes propres, une chemise jaune et un pantalon vert.

Benjamin écarquilla les yeux en reconnaissant les vêtements qu'il avait jetés à la poubelle deux jours plus tôt.

— Une petite Mexicaine est venue les porter tout à l'heure, expliqua Soutinelle. Elle t'a vu les jeter et a pensé que tu ne pouvais pas les laver. Alors, elle les a lavés. Elle voulait te les remettre en mains propres, mais je lui ai dit que tu étais trop occupé.

La chemise et le pantalon étaient impeccablement lavés et soigneusement repassés. Concepcion avait fait du bon travail. Mais pas question pour Benjamin de se présenter au bureau de Lou Ginotti avec les vêtements de l'assassin de sa maîtresse.

– Je préfère mettre autre chose.

– Je viens de tout jeter dans la machine à laver. Tu n'avais plus rien de propre.

– Ah?

En d'autres circonstances, Benjamin se serait réjoui que deux femmes se disputent le douteux honneur de faire sa lessive. Il faillit dire à Soutinelle que ces vêtements-là risquaient de l'envoyer à la chaise électrique ou à la chambre à gaz ou encore de lui valoir une bonne injection d'une matière tout aussi mortelle. Mais il n'avait pas envie de compromettre, en rappelant le souvenir de la fausse Marilyn même morte, la paix qu'ils venaient de retrouver.

Il s'habilla et ils descendirent à la cuisine.

Leurs hôtes y étaient déjà. Benjamin remarqua que Malvina Lansford n'avait rien perdu de la beauté qu'elle avait dans son rêve et dans le tableau du salon. Elle avait depuis sa jeunesse gagné des rides et remplacé son regard blasé de jeune actrice qui croit que le monde lui appartient par celui d'une femme qui sait que le monde ne mérite peut-être pas qu'on le garde pour soi tout seul. Mais elle avait toujours un visage fort agréable à regarder.

– Vous étiez-vous enfermé? demanda-t-elle. Il me semble qu'il y a longtemps qu'on ne vous a vu.

Il faillit répondre qu'il ne s'était pas enfermé, que quelqu'un d'autre l'avait fait pour lui. Mais son regard croisa celui de Soutinelle qui devinait ce qu'il allait dire, et il préféra répondre autre chose.

– J'ai travaillé très fort.

– M**lle** Soutinelle nous dit que vous travaillez à un scénario? demanda à son tour Rex Connors.

– Un synopsis seulement.

– Je l'aime beaucoup, ajouta Soutinelle.

– Je suis sûre qu'il aura beaucoup de succès, opina Malvina Lansford.

– Moi aussi, confirma Rex Connors.

Benjamin eut envie de leur montrer à quel point ils se trompaient.

– Voulez-vous le lire? offrit-il dans l'espoir qu'une évaluation quelque peu professionnelle de son projet de film lui éviterait l'humiliation d'aller le présenter et le risque d'être trahi par ses vêtements jaunes et verts.

– Très volontiers, répondirent en chœur Malvina Lansford et Rex Connors.

– Il est presque neuf heures et tu as rendez-vous à dix heures, protesta Soutinelle.

Benjamin la regarda. Son synopsis était-il mauvais au point que Soutinelle préfère que leurs hôtes ne le lisent pas? Peut-être bien.

– Le bureau de Lou Ginotti est à Burbank. C'est loin d'ici? demanda Soutinelle en consultant la carte de visite d'Edgar J. Berenson qu'elle avait pris soin de soutirer des poches de Benjamin avant de mettre son pantalon à laver.

– Pas tellement, répondit Rex Connors. Tout dépend de la circulation. Mais faire venir un taxi peut prendre une heure à ce moment de la journée. Et encore à condition de ne pas tomber sur un Fidjien fraîchement arrivé.

Benjamin respirait. Il serait en retard au rendez-vous avec Lou Ginotti. Pourquoi risquer de l'indisposer en lui démontrant qu'il était incapable de respecter la moindre échéance ? Il s'apprêtait à demander à Soutinelle de téléphoner à Edgar J. Berenson pour lui expliquer qu'à la suite d'un accident pas mortel mais presque il envoyait le synopsis par courrier exprès, lorsqu'une voiture se gara devant la maison, là où était le Westfalia la veille.

C'était une voiture d'un rouge vif rehaussée de garnitures noires, comme l'uniforme de Justin, et qui portait sur les portières, le capot, le toit et vraisemblablement aussi sur le couvercle du coffre, qu'on ne pouvait voir depuis les fenêtres de la cuisine, l'inscription : « Vigiles Rambo – Les hommes des missions impossibles ».

Justin sortit de la voiture. Il était aussi fourbu que s'il avait travaillé jour et nuit sans arrêt depuis six mois. C'est du moins l'allure qu'il se donna en entrant dans la cuisine, précédé plus encore qu'accompagné d'une odeur qui fit aussitôt penser à Benjamin qu'il avait passé la nuit dans un dépotoir.

– Justin, tu as une voiture ! s'exclama Soutinelle que l'odeur n'incommoderait pas longtemps, puisqu'elle avait décidé que son frère repartirait tout de suite.

Benjamin leva un sourcil inquiet, car il avait deviné qu'il devrait accompagner ledit frère malodorant.

– Ça? Ah! bien oui, c'est une voiture, admit à contrecœur Justin qui avait lui aussi compris que sa sœur souhaitait qu'il reconduise quelqu'un quelque part.

– Il faut que tu ailles avec Ben. J'ai peur qu'il s'égare encore. Tu le connais : incapable de lire une carte.

– Mais j'ai pas dormi de la nuit, protesta Justin. Et puis j'ai pas de carte.

– Lui non plus. De toute façon, les bureaux de Lou Ginotti sont à Burbank. Tu en as pour dix minutes.

– Burbank? J'en arrive. Y en a pour une heure.

– Tu sais où c'est? C'est encore mieux.

Ce matin-là, il était impossible de résister à Soutinelle. Justin s'en rendit compte et renonça.

– Allons-y. Mais c'est pas ma faute si on arrive en retard. Au moins, faites-moi couler un bain pour mon retour. J'ai passé la nuit à surveiller des voleurs d'ordures dans un dépotoir.

– Je te laverai ton linge, offrit Soutinelle. Malvina vient de me montrer comment me servir d'une machine à laver.

Benjamin se résigna à monter dans la voiture de l'homme des missions impossibles. Il faillit en ressortir un moment plus tard lorsqu'il perçut l'odeur de Justin apparemment décuplée par l'exiguïté des lieux.

Mais la voiture dévalait déjà le chemin en direction de l'autoroute la plus proche. Benjamin baissa la vitre de son côté. Ce fut en vain, car la voiture puait autant que son conducteur.

— Dis donc, demanda-t-il en remontant la vitre avec civisme, car il avait peur, s'il la laissait baissée, d'empester la côte du Pacifique depuis le Guatemala jusqu'à l'Alaska, pourquoi est-ce que des gens vont voler des ordures dans un dépotoir?

— L'Amérique, commença sentencieusement Justin en gonflant le torse, est la capitale mondiale des ordures. Hier soir, on m'a envoyé dans une ancienne carrière de pierre avec laquelle on a construit la moitié des maisons de Los Angeles. Maintenant, c'est un trou presque rempli de monceaux d'ordures de toutes les sortes : médicales, nucléaires, funéraires, juridiques, militaires, domestiques, industrielles... Nomme-les, ils les ont. Dans deux ans, ce sera plein et tout ça va être transformé en joli quartier résidentiel. Je pense que je vais m'acheter une maison par là – en tant que gardien des lieux, j'ai un droit de premier refus. En attendant, c'est plein de mouches, de rats, de goélands, de vautours. Et surtout de gens qui viennent fouiller là-dedans. C'est étonnant, dans le pays le plus riche du monde, ce que les pauvres peuvent trouver dans nos ordures. C'est bien la preuve qu'on est les plus riches. Mais les propriétaires des dépotoirs ont peur de se faire poursuivre par quelqu'un qui mangerait quelque chose comme un foie contaminé provenant d'un hôpital qui a trouvé personne pour le transplanter, ou qui attraperait le sida avec une seringue d'occasion. La Great Western California Waste Management Corporation engage donc des agents de sécurité, nuit et jour. Tout ce que j'ai à faire, c'est surveiller les lieux de loin parce que ça pue trop si je m'approche. Si je vois quelqu'un essayer de sauter par-dessus la clôture, je tire un coup de revolver en l'air et je filme la scène sur vidéo. Comme ça, si l'individu en meurt d'une manière ou d'une autre, il peut pas revenir devant les tribunaux et dire qu'on l'a laissé faire sans rien faire. Parce que la preuve qu'on a fait quelque chose, c'est qu'on l'a pris sur vidéo.

Pendant ce discours, Benjamin réfléchissait. Il résolut qu'il entrerait dans l'immeuble de Lou Ginotti et ferait semblant d'attendre l'ascenseur. Dès que Justin serait hors de vue, il rentrerait à Pas tout à fait Beverly Hills après avoir perdu dans un café le temps nécessaire à une entrevue.

— Tu as des nouvelles de la fausse Marilyn? demanda-t-il sur le ton de celui qui cherche à passer le temps, alors que la question l'intéressait au plus haut point.

— Elle est morte. Je te l'avais pas dit?

— Je veux dire : est-ce qu'il y a du nouveau dans l'enquête?

— Non, paraît qu'ils recherchent toujours un type en jaune et vert. À ta place, je me serais changé.

— Je n'avais rien d'autre à mettre.

Justin hocha la tête en grimaçant.

— Tu as de la chance que Lou Ginotti t'ait vu seulement habillé en femme.

Benjamin songea qu'il n'avait rien à craindre si Lou Ginotti n'entretenait aucun soupçon à son égard. Des millions de gens (peut-être pas, mais au moins des milliers) s'étaient habillés en jaune et vert ce jour-là. Si le producteur avait des soupçons à son égard, la couleur de ses vêtements n'y changerait rien. Mieux encore, cela allait bien plus le disculper que l'incriminer : jamais un assassin ne serait assez stupide pour se présenter à un rendez-vous avec l'amant de la victime en portant des vêtements de même description que ceux signalés à la police.

Ragaillardi par ces réflexions, il constata que la voie rapide s'était transformée en bouchon parfaitement immobile.

— On va être en retard, prédit Justin.

— Si tu utilisais ta sirène pour t'ouvrir un chemin ?

— Pas question. Je peux m'en servir qu'en cas d'urgence.

— Un petit coup de sirène, ça ne peut faire de mal à personne.

Il était évident que Justin mourait d'envie d'essayer la sirène et de voir quel effet elle aurait sur un bouchon pareil. Il actionna une des manettes du tableau de bord.

La sirène émit d'abord un murmure chétif, pas du tout digne d'une sirène dernier modèle. Mais ce murmure se transforma en cri, et ce cri devint un mugissement, qui s'enfla avant de se lancer dans un crescendo ultra-aigu, au seuil des ondes audibles à l'oreille humaine et peut-être au-delà.

Cela eut le même effet miraculeux qu'un chœur de cordes vocales mexicaines : les cinq couloirs prévus par les constructeurs de l'autoroute se condensèrent en quatre pour dégager un passage étroit au milieu de la chaussée.

Justin fut ravi de se remettre à rouler. Il envoya au passage un baiser du bout des doigts à une jeune femme d'affaires dans une Lexus et fit un pied de nez au conducteur d'une Rolls-Royce décorée aux couleurs d'une grande marque de scotch. Il eut toutefois l'impudente imprudence de faire un bras d'honneur à l'intention d'un policier en uniforme au volant d'une voiture pourtant pas banalisée. L'agent, payé en heure supplémentaire et n'ayant rien de particulièrement urgent à faire, attendait que le bouchon s'évanouisse de cause naturelle, en faisant la conversation à trois prostituées à peine fanées qui se piquaient sur la banquette arrière. Il fut incapable de laisser passer cette insulte.

Les deux sirènes conjuguées accélérèrent encore le processus d'ouverture du chemin.

– C'est malin, dit Benjamin. La police recherche un type en jaune et vert et tu fais tout pour qu'elle ait l'occasion de nous arrêter.

– C'est quand même pas de ma faute si t'avais rien d'autre à te mettre, protesta Justin. Mais t'en fais pas, il nous aura pas.

Justin prit la première sortie pour Burbank. La voiture de police le poursuivit dans une large avenue bordée de palmiers et de boutiques de location de vidéocassettes. Benjamin s'énervait. De l'angle où il était, il voyait disparaître l'aiguille du compteur de vitesse à la droite du cadran.

– Arrête avant qu'il nous tire dessus.

Mais le policier, derrière eux, s'obstinait à ne pas tirer. Sans doute le manuel d'instructions des policiers de Burbank et des autres banlieues de Los Angeles recommandait-il de ne tirer qu'en cas d'extrême nécessité lorsqu'on poursuivait deux individus louches d'origine caucasienne.

Benjamin décida que, dès que la voiture de Justin ralentirait quelque peu, il se jetterait dehors en levant les mains et en criant : « Ne tirez pas. C'est moi le type en jaune et vert, mais je suis innocent et je vais tout vous expliquer. » Il valait mieux risquer de passer sa vie aux prises avec le système judiciaire américain que de la voir se terminer abruptement contre un lampadaire.

Mais Justin ne ralentissait pas. Il prenait même un plaisir évident à cette poursuite qui aurait pu continuer encore longtemps et remplir de nombreuses pages palpitantes si un camion qui passait par là n'avait pas eu un retour de flamme. Justin, convaincu qu'on lui tirait dessus, consentit enfin à s'arrêter en bordure du trottoir, en face de quatre sex-shops.

La voiture de police s'arrêta juste devant, en faisant crisser ses pneus. Les sirènes se turent. Un gros policier en uniforme s'extirpa de sa voiture et s'approcha.

– Y a une urgence? demanda-t-il sur un ton sarcastique. Je parie que votre petit copain est sur le point d'accoucher.

– Oui, répondit Justin avec aplomb. Une tentative d'effraction aux studios de Lou Ginotti.

– Lou Ginotti? Le type des films d'épouvante? Suivez-moi, je vous ouvre le chemin.

Les deux voitures traversèrent la moitié de Burbank à toute vitesse, toutes sirènes tonitruantes. Leurs pneus crissèrent à l'unisson en freinant devant un immeuble rose et turquoise, de style néo-classique, à moins qu'il n'ait été post-moderne ou encore néo-moderne d'influence post-classique.

Le policier sauta hors de sa voiture, revolver au poing.

– Et vos clientes? demanda Justin en désignant les trois femmes qui avaient retrouvé le sourire à la perspective de reprendre sans plus tarder leur quart de travail.

– Merde, je les oubliais, fit le policier. Si je les laisse là, elles vont me piquer la voiture. Allez-y, je demande du renfort.

– Pas nécessaire, c'est tout le temps des fausses alertes, l'assura Justin. Le système antivol se déclenche pour rien. Il suffit qu'une petite coquerelle de rien du tout…

– Je vous attends, coupa l'agent avec autorité.

Benjamin et Justin prirent l'ascenseur jusqu'au onzième, où se trouvaient les bureaux des Productions Lou Ginotti.

– Redescends dire au flic que tout va bien, fit Benjamin lorsque les portes se rouvrirent.

Justin hésita. Entre le sixième étage et le septième, il s'était mis à s'imaginer au cinéma, dans un grand rôle de figurant.

– Tu sais que John Wayne a commencé au cinéma comme figurant dans les films de cow-boys? mentit-il quoiqu'il n'ait pas été certain que cela n'ait pas été vrai.

– Il n'y a pas de cow-boy dans mon film, mentit à son tour Benjamin car il n'était pas totalement exclu qu'il n'y en aurait pas dans le scénario définitif.

Justin soupira.

— C'est dommage. Dis-leur quand même que s'ils ont encore besoin d'un agent de sécurité, ils n'ont qu'à téléphoner chez Rambo. Qu'ils oublient pas de mentionner mon nom.

— Tu peux compter sur moi, promit Benjamin en se promettant de n'en rien faire.

À dix heures moins une minute, il présenta à la réceptionniste, en guise de carte de visite, le petit carton sur lequel Soutinelle avait inscrit son nom d'une belle écriture d'écolière appliquée. La jeune femme, vêtue d'une courte robe à motif peau de zèbre orange et bleue, le fit asseoir à côté d'un homme en complet de velours qui allumait une nouvelle cigarette avec celle qu'il terminait. Il jeta celle-ci au milieu de six mégots semblables dans le cendrier posé sur une table basse. Sur cette table étaient empilés cinq documents d'égale épaisseur, soigneusement cartonnés – vraisemblablement autant de copies d'un scénario. Benjamin se sentit mal à l'aise de n'avoir à la main qu'une mince enveloppe contenant trois feuillets et une photo de Soutinelle. Il était prêt à parier que son concurrent avait réalisé son scénario au logiciel de traitement de texte, avec justification à droite, césure automatique, impression laser et quoi encore? S'il ne s'était pas engagé si fermement auprès de Soutinelle, il aurait tourné les talons.

— C'est votre premier scénario? demanda l'autre avec condescendance.

— Oui.

— Moi, c'est le septième.

– Ça marche bien?

– Celui-là, oui. L'important, au cinéma, c'est d'agir rapidement. Dès que j'ai appris que Ginotti abandonnait les *remakes*... Vous ne venez pas lui présenter un projet de *remake,* tout de même?

Benjamin secoua la tête mais vit bien que son interlocuteur ne le croyait pas tout à fait.

– Moi, deux minutes après en avoir eu vent par un copain qui était à la réception de Lou Ginotti l'autre soir, je me suis lancé dans un nouveau projet de scénario, avec mon ordinateur quatre quatre-vingt-six, à disque rigide de cent soixante mégaoctets. Et j'ai le scénario le plus original qu'ils aient jamais vu à Hollywood et même en Europe. C'est l'histoire d'un type qui a un frère jumeau. Mais il n'en sait rien, parce qu'ils ont été séparés à leur naissance. Un jour, il épouse une ancienne prostituée. Une blonde superbe. J'en ai parlé à des amis qui connaissent quelqu'un qui habite dans le même patelin que Hope Lange. Toujours est-il qu'en pleine lune de miel aux chutes de Niagara mon type commence à soupçonner qu'elle veut le tuer. C'est son jumeau qui a décidé de lui piquer sa place – il est courtier à Wall Street – et sa fortune. Je ne peux pas en dire plus, parce que c'est facile de se faire piquer une bonne idée. Et puis j'ai un titre qui vaut un million de dollars à lui tout seul.

– Ah oui?

Benjamin s'imaginait-il que son interlocuteur allait lui livrer si facilement le fruit d'un travail acharné et d'une imagination vraisemblablement stimulée par des drogues dernier cri? Non, bien sûr. Pourtant, la vanité l'emporta sur la prudence et l'autre lui révéla, avec la plus fausse des modesties, le titre de son chef-d'œuvre :

– *Déplorable hantise.*

– Ah bon!

– Vous pouvez toujours essayer de me le piquer, ricana le scénariste, je l'ai fait déposer. Avec toutes les combinaisons de titres de deux mots comprenant le mot « déplorable ». Et toutes celles avec « hantise ». Cela m'a coûté des milliers de dollars. Mais il faut ce qu'il faut, dans ce monde de requins. Et vous, votre titre?

Benjamin n'était pas particulièrement fier de s'être contenté du nom du lieu où se situerait l'action de son film, si jamais celui-ci devait être tourné.

– Le mien n'est pas encore déposé, s'excusa-t-il.

L'autre comprit et adopta l'attitude supérieure du passager du *Titanic* qui apprend que son voisin de pont a négligé de prendre une assurance-vie.

Une secrétaire, elle aussi en orange zébré de bleu à moins que ce n'ait été en bleu zébré d'orange, vint alors le chercher. Benjamin resta seul quelques instants, pendant lesquels il songea encore à fuir et à jurer à Soutinelle que son projet de film avait été rejeté, ce qui serait de toute façon certainement le cas. Au moment où il se levait pour se diriger vers l'ascenseur, Lou Ginotti en sortit.

– Ah! c'est vous, la jeune Noire…

Benjamin allait protester qu'il n'était ni noir, ni de sexe féminin, ni plus tout à fait jeune, mais Lou Ginotti enchaîna aussitôt :

– Vous avez bien fait de vous habiller comme ça. Je vous vois dans cinq minutes.

Il fallut un instant à Benjamin pour comprendre qu'il le félicitait de s'être habillé de façon plus hétérosexuelle que lors de leur première rencontre. Avant qu'il ait eu le temps de s'expliquer, le patron des studios Lou Ginotti s'était enfui par la porte derrière laquelle l'auteur de *Déplorable hantise* était disparu.

Rassuré par le fait que le producteur ne semblait pas avoir remarqué qu'il était habillé en jaune et vert, Benjamin se demanda s'il devait exprimer à Lou Ginotti ses condoléances pour la mort de la fausse Marilyn. Il hésitait sur la manière de le faire, car il ne connaissait pas grand-chose de leurs relations – étaient-elles exclusivement intimes ou quelque peu professionnelles aussi? Et puis, de la manière dont Ginotti lui avait parlé d'elle, rien n'assurait que des condoléances soient de mise. Et celles-ci seraient parfaitement malvenues – et surtout peu méritées – si Ginotti était lui-même le meurtrier, ce qui demeurait dans le domaine des possibilités quand on sait que trois fois sur quatre les femmes assassinées le sont par leur mari ou leur amant.

Il fut tiré de ces réflexions par l'auteur de *Déplorable hantise* qui ressortait en coup de vent avec sa pile de textes.

– À votre place, dit-il à Benjamin, je sortirais d'ici et j'irais à la Columbia. Ils sont moins cons. Et ils connaissent la différence entre un *remake* et un scénario original.

Benjamin fut tenté de suivre la première partie de son conseil, mais la secrétaire l'appelait déjà :

– Mister Bentard If…

– C'est moi, dit-il en se levant et en se jurant de demander à Soutinelle de ne plus jamais abréger son prénom sur ses cartes de visite.

On l'introduisit dans une pièce où Lou Ginotti et le sosie d'Edward G. Robinson étaient assis dans de lourds fauteuils, du même côté d'une grande table. Benjamin s'assit sur une petite chaise droite, devant eux, et fut étonné d'apercevoir une douzaine de statuettes du célèbre Oscar (oui, oui, celui des oscars) qui décoraient le mur derrière eux.

– Ce sont, d'une certaine manière, des copies authentiques, expliqua Lou Ginotti. Les originaux ont été gagnés par des films dont j'ai fait le *remake*. Mais cette époque est révolue. Je les ferai bientôt remplacer par ceux que gagneront mes productions.

– Et si vous nous parliez de votre projet, monsieur If? enchaîna Edward G. Robinson apparemment moins convaincu qu'ils allaient triompher si rapidement dans la chasse aux trophées suprêmes.

Bentard If commença par sourire largement pour montrer qu'il avait toutes ses dents de devant. Puis il ouvrit son enveloppe, en tira les trois feuillets et se mit à lire :

«Nulle Part au Texas. Projet de scénario, par Ben-ja-min Tardif (il fit aussi une pause fortement appuyée entre son prénom et son patronyme). Louis Lajoie gagne sa vie à traduire de la documentation pour des fabricants de voitures. Il est québécois. En octobre, à la fin de la saison préparant le lancement des nouveaux modèles, son travail est terminé et il part faire le tour des États-Unis dans une fourgonnette Westfalia. Au Texas, il s'arrête près d'une jolie plage déserte et décide de s'y baigner, en ne gardant que son slip. Il laisse ses autres vêtements dans le Westfalia et se jette à l'eau. Mais, quelques instants plus tard, il entend la porte de son véhicule se refermer. Un inconnu lui vole tout : son véhicule, son argent, ses cartes de crédit, ses vêtements. Louis Lajoie se retrouve quasiment nu sur une plage, encore plus démuni que Robinson Crusoé sur son île déserte. Il suit le littoral, tantôt en nageant, tantôt en marchant, jusqu'à une jolie maison habitée par une jeune femme noire, très belle et très pudique… »

— Excusez-moi de vous interrompre, fit Edward G. Robinson dès que les doigts de Lou Ginotti se mirent à tapoter fébrilement la surface de la table, mais nous sommes parfaitement capables de lire le texte que vous allez nous laisser, j'espère, si nous vous en faisons la demande comme vous le souhaitez sans doute. Ce que nous aimerions savoir, de votre bouche, c'est la philosophie de votre projet. Quelles valeurs véhicule-t-il ?

Benjamin en resta bouche bée. Il ne s'attendait pas du tout à cette question. Le cinéma américain, dont la seule et unique préoccupation était le profit, pouvait-il se soucier de philosophie et de valeurs morales ?

Lou Ginotti devina le scepticisme de l'apprenti scénariste.

— Je vois que vous êtes étonné. Les cinéphiles américains aiment qu'un film leur présente des valeurs morales qu'ils sont prêts à adopter pendant qu'ils sont assis devant l'écran même s'ils se hâteront de les oublier dès qu'ils auront franchi la porte du cinéma. Ces valeurs se résument généralement par la supériorité du bien sur le mal ou, si vous préférez, par le vieil adage « le crime ne paie pas », qui est plus d'actualité que jamais lorsque les journaux sont remplis de nouvelles prouvant le contraire. Sans valeurs, un film est sans valeur et ne saurait connaître le succès, à moins qu'il ne s'agisse d'un film étranger qui prouve que la vie est absurde et qui se contente d'une sortie dans une poignée de cinémas d'essai. Ce qui, bien entendu, n'est pas le genre de film que vous nous proposez, n'est-ce pas?

Benjamin eut envie de tourner les talons. Il dut s'accrocher une fois de plus aux promesses qu'il avait faites à Soutinelle. Des valeurs dans son film? Il ne se souvenait pas d'en avoir mis, mais il improvisa de son mieux :

– Eh bien, cette histoire d'un étranger qui fait la rencontre d'une jeune femme noire dans un lieu perdu est celle d'un amour inattendu, entre deux personnes que rien ne devrait rapprocher – ni la couleur, ni la langue, ni la condition sociale. Il ne démontre pas que l'amour triomphe de tout. Mais tout simplement que l'amour naît parfois de façon quasi inattendu, de la même manière que certaines plantes poussent dans le plus sec des déserts.

Edward G. Robinson fronça les sourcils, se tourna vers Lou Ginotti à la recherche d'un signe d'approbation. Celui-ci n'en manifesta aucun et fronça les sourcils à son tour avant de reprendre la parole.

– Mon cher Bentard, si vous permettez que je vous appelle Bentard…

Bentard, qui était prêt à permettre n'importe quoi pourvu que cette réunion se termine dans les plus brefs délais, l'autorisa d'un hochement de tête obliquement ambigu.

— Eh bien, mon cher Bentard, reprit le producteur, vous avez compris l'essentiel du cinéma. Il s'est déjà tourné plus de trente mille films de long métrage depuis qu'Edison l'a inventé…

«Et les frères Lumière, faillit interrompre Benjamin Tardif, qu'est-ce qu'ils ont inventé? L'ampoule électrique, peut-être?» Mais il garda sa réflexion pour lui et adopta l'attitude respectueuse du néophyte tout ouïe à l'écoute de la légende du septième art.

— La plupart de ces films – et tous les bons – commencent par la rencontre d'un homme et d'une femme. Quiconque s'imagine écrire une histoire originale est donc un fieffé prétentieux. C'est pourquoi je ne commettais aucun plagiat lorsque je produisais des *remakes*. Tous les films sont des variations sur ce grand thème éternel.

Benjamin hocha servilement la tête en signe d'assentiment.

— Toutefois, poursuivit Lou Ginotti, je ne suis pas sûr que la vôtre soit judicieuse. Une histoire d'amour entre un Canadien et une Noire, moi je veux bien…

Benjamin était tout à fait disposé à remplacer son Québécois par un Torontois ou un Brooklynois si cela pouvait faire plaisir à Lou Ginotti, mais celui-ci ne lui donna pas la chance d'acquiescer si aisément :

— … mais est-il bien nécessaire que la femme soit noire?

La bouche de Benjamin Tardif se remit à béer, ce qu'elle avait tendance à faire bien souvent ce matin-là. Il sentit naître en lui une furieuse indignation. Il ne s'était pas cassé la tête dans le but de vendre un scénario, mais pour que Soutinelle fasse du cinéma. Il tira de son enveloppe la photo de Soutinelle par Rex Connors et la posa bien en vue sur la table.

– Oui, c'est indispensable, dit-il avec fermeté. D'abord, parce que c'est pour cette excellente actrice noire, dont voici la photo et que vous avez rencontrée chez vous l'autre soir, que j'ai créé cette histoire. Et aussi parce qu'il s'agit d'une histoire d'amour entre des gens qui n'ont aucun préjugé l'un envers l'autre. Le Québécois n'est pas raciste, peut-être parce qu'il n'a jamais été en contact avec des Noirs. Et ma Texane noire, elle, ne sait même pas qu'il existe des Canadiens français sur cette planète. D'une certaine manière, il est l'équivalent d'un extraterrestre pour elle, et vice versa. Et leur amour naîtra, justement, sans qu'ils se posent une seule des questions que se posent normalement une Noire et un Blanc d'Amérique.

Benjamin se tut après cette tirade et examina les membres du tribunal. Edward G. Robinson prit l'initiative quelque peu risquée de hocher le premier la tête en un vague signe d'approbation. Mais son patron ne broncha pas. Il fallait d'autres arguments – n'importe lesquels – pour l'ébranler.

– Je crois aussi, reprit le scénariste débutant avec un sans-gêne stimulé par la perspective de voir sa carrière tirer bientôt à sa fin, je crois aussi que le cinéma américain a négligé de rendre à l'écran la personnalité physique de l'Afro-Américaine : ses immenses yeux de charbon sur fond blanc et son regard brûlant à la fois triste et rieur, capable de vous transpercer le cœur pour lire ce qu'il y a dedans. Il y a aussi sa peau à la texture si nette qu'elle donne un grain même à la pellicule la plus fine. C'est bien plus qu'un épiderme superficiel – c'est une partie de l'âme de ces femmes. Et le producteur qui osera présenter cela sur les écrans de l'Amérique désormais multicolore mettra de l'avant une valeur qui est aussi universelle qu'elle est profondément américaine.

Il avait parlé d'un seul souffle, et ses interlocuteurs restèrent muets un long moment après qu'il eut terminé son discours.

Robinson-Berenson se sentit autorisé à rompre le silence.

– Moi, je veux bien qu'on fasse signer un contrat à cette fille. Mais je ne vois pas très clairement de quelle manière cette histoire d'étranger égaré, tout nu sur une plage, se situe dans l'histoire du cinéma.

– Tu ne vois pas ça, Edgar ? s'étonna Lou Ginotti.

– Non, pas très bien, avoua Edgar-Edward.

– Mais c'est *E.T.*, mon vieux.

– *E.T.* ?

– Jusqu'à ce jour le plus grand succès de l'histoire du cinéma. Combien de revenus ?

– Trois cent soixante millions aux dernières nouvelles. Pour le marché domestique seulement.

– On reprend le scénario d'un film de trois cent soixante millions de dollars et on remplace l'extraterrestre par un Canadien français – ou un Chinois, peu importe, à condition que Bentard n'ait pas d'objection.

– Aucune, reconnut Bentard, pourvu que la fille soit jouée par Mlle Case.

– On a un *blockbuster* assuré, avec un budget de trois fois rien, sans même d'effets spéciaux. On n'a qu'à tourner en extérieurs dans un coin perdu du Texas. Ou en Oregon, c'est encore moins cher. Mais il pleut plus souvent.

– Je ne vois pas très bien… protesta mollement Edward-Edgar.

Benjamin-Bentard non plus ne voyait pas très bien comment on pouvait transformer son synopsis en histoire d'extraterrestre égaré sur une plage de l'Oregon. Mais il hocha la tête pour marquer son accord à Lou Ginotti s'il acceptait de donner un rôle à Soutinelle.

– Et on ne risque pas de se faire poursuivre, renchérit le producteur. Comment voulez-vous qu'un juge trouve un rapport entre l'histoire d'un extraterrestre et celle d'un oiseau des neiges?

– Ouais, admit Edgard-Edwar. Ça devrait pouvoir marcher. Qui vois-tu pour le scénario?

– Attivan Schmeyerevsky. Il est libre maintenant qu'on a abandonné le *remake* des *Désaxés*.

Aussitôt, le souvenir de la fausse Marilyn surgit dans la tête de Benjamin. Il oublia le risque d'attirer sur lui leurs soupçons et voulut leur faire savoir à quel point il était attristé par la nouvelle de son décès.

– Justement, commença-t-il…

– Ne craignez rien, susurra Lou Ginotti. Vous serez payé pour votre travail. Edgar va régler ça avec vous. Moi, il faut que je m'occupe de cette ignoble histoire de plagiat…

Il se leva et les laissa seuls.

– Vous savez combien peut valoir un scénario original? demanda son responsable des concepts pour l'écran.

– Non, répondit Benjamin en songeant malgré lui à trois millions de dollars américains.

– Le record est pour l'instant de trois millions de dollars, précisa Robinson-Berenson avec une franchise rassurante. Mais il s'agit d'un cas extrême, et d'un sujet particulièrement génial. Votre histoire, à mon avis, ne vaut guère plus d'un million de dollars. Disons un million tout net…

«C'est quand même mieux qu'un coup de pied au cul», songea Benjamin que l'appât du gain commençait à stimuler.

– Ça me va, approuva-t-il sans discuter.

– Je parle bien entendu de la valeur du scénario définitif. Vous ne nous apportez qu'un synopsis. Il nous faut d'abord un premier traitement. Schmeyerevsky ne travaille pas pour des cacahuètes. Et puis nous devons réserver une partie de notre budget de scénarisation pour des versions subséquentes. Schmeyerevsky est un as, mais même un as se fait virer trois fois sur quatre. Seuls les médiocres s'accrochent jusqu'au bout. Mon service fera le synopsis final, l'adaptation, les dialogues, le découpage définitif, pendant que vous resterez bien tranquille chez vous à compter votre argent. Vous comprendrez donc que si jamais nous portons votre concept à l'écran, nous ne pourrons guère vous verser plus de cent mille dollars. Deux cent mille, peut-être, si tout se présente bien…

« Va pour deux cent mille », se dit Benjamin en tendant les doigts vers le stylo dans la poche de sa chemise, tout disposé à signer n'importe quel contrat.

— Évidemment, nous n'en sommes pas encore tout à fait là, continuait le comptable à tête de gangster. Un seul synopsis sur quarante se rend si loin. Il faut d'abord assurer le financement, et pour ce faire il nous faut engager des vedettes. Avec une inconnue dans le premier rôle féminin, nous avons besoin d'un grand nom masculin qui nous permettra d'aller chercher quelques millions de plus chez nos bailleurs de fonds. Par exemple, je verrais très bien Tom Cruise ou Mel Gibson dans ce rôle.

Benjamin fut trop flatté de se voir dans les traits de ces jolis garçons pour remarquer qu'il était absurde de confier à un Américain ou à un Australien le rôle d'un Québécois, fût-ce dans un *remake* d'*E.T.*

— Voyez-vous, poursuivit son interlocuteur comme s'il avait lu dans ses pensées, la première règle dans la distribution des rôles d'un film inspiré de la vie d'un personnage réel, c'est d'éviter de choisir des interprètes qui ressemblent aux véritables acteurs de l'histoire. Sauf, bien entendu, lorsqu'il s'agit d'une tête célèbre, comme Gandhi ou Einstein. Mais ce n'est pas votre cas, du moins pour l'instant, car il se pourrait fort bien, si ce film remporte le succès que nous allons promettre à nos bailleurs de fonds, que vous deveniez une célébrité. Toujours est-il que, dans cette étape exploratoire, nous prenons simplement une option pour laquelle nous ne pouvons vous donner qu'une avance relativement modeste. Dix mille dollars, ça vous irait ?

Cela allait mieux à Benjamin que la perspective de devenir une célébrité. Avec dix mille dollars, il pourrait au moins remplacer le vieux Westfalia d'occasion par un Westfalia toujours d'occasion mais moins antique et dont la transmission ne le laisserait pas tomber n'importe où, n'importe quand. Peut-être même, histoire de faire taire cette grande gueule de Justin s'il voyageait encore avec lui, y aurait-il la climatisation.

– Nous payons d'ordinaire cette avance en deux versements égaux – le premier aujourd'hui et l'autre un an après la signature du contrat.

Cinq mille dollars, donc. Avant d'acquiescer, Benjamin attendit un moment encore au cas où la somme baisserait de nouveau. Tout bien réfléchi, si on était prêt à donner le rôle à Soutinelle, il était prêt, quant à lui, à donner son projet de scénario sans rien recevoir en retour.

– On dit donc cinq mille maintenant? conclut le gangster à tête de comptable en ouvrant un grand chéquier.

Il fallut encore une heure pour dresser un contrat en bonne et due forme. Benjamin finit par comprendre que si le film tiré de son synopsis était réalisé et que si chaque citoyen de la planète le voyait au moins deux fois l'an au cinéma ou sur vidéocassette pendant les vingt prochaines années, il pouvait espérer éventuellement, dans les quatre décennies suivant son décès, toucher une somme frôlant le million de dollars.

Il insista pour faire ajouter à son contrat que Soutinelle Case serait nécessairement la vedette du film si celui-ci devait effectivement être réalisé; sinon, elle aurait droit à un rôle important dans une autre production. Elle n'avait qu'à passer le lendemain pour négocier son contrat.

Lorsque les huit copies de celui de Benjamin furent signées, Berenson-Robinson quitta la pièce pour aller faire signer le chèque par son patron.

— Je suis désolé, dit-il en revenant, mais M. Ginotti est parti. Repassez demain et votre chèque sera prêt.

— Je loge à côté de M. Ginotti. Laissez-moi le chèque et j'irai le lui faire signer, proposa Benjamin.

— Comme vous voudrez.

Dans le taxi qui ramenait Benjamin à Pas tout à fait Beverly Hills, il y avait un exemplaire du *Los Angeles Earthshaker* du jour. Toujours pas un mot sur l'enquête au sujet du décès de la fausse Marilyn Monroe, dont il ne connaissait toujours pas le nom véritable. «Les gens sont bien vite oubliés en ce pays», songea-t-il. Du côté du taux de change et du hockey, c'était match nul : le dollar canadien avait perdu quelques centièmes de point sur son homonyme américain tandis que les Canadiens avaient pris leur revanche sur leurs adversaires californiens.

La meilleure nouvelle n'était toutefois pas dans le journal : personne n'avait encore soupçonné Benjamin Tardif d'être l'assassin de la fausse Marilyn, en dépit de la chemise jaune et du pantalon vert qu'il avait portés en présence de Lou Ginotti et d'Edgar Berenson.

De plus, il rentrait chez Malvina Lansford et Rex Connors après avoir rempli sa mission impossible : Soutinelle ferait du cinéma. Et il avait en poche un chèque de cinq mille dollars – pour une seule journée de travail, accomplie avec un mal de bloc carabiné! Le chèque n'était pas encore signé, mais c'était cinq mille fois mieux que rien.

Soutinelle fut enchantée de la nouvelle. Pour fêter l'événement, Rex Connors aller chercher à la cave une bouteille de mousseux californien fruité et sucré.

Ils levèrent leurs verres d'abord pour fêter la future réussite de Soutinelle à l'écran, puis pour fêter les débuts de Benjamin comme scénariste. Celui-ci eut beau leur expliquer qu'il n'avait reçu que cinq mille dollars pour un scénario qu'il n'écrirait jamais, rien n'y fit : ses compagnons tenaient à fêter la naissance de sa nouvelle carrière.

— J'espère, dit Malvina Lansford, que le cinéma vous portera chance plus qu'à moi.

Soutinelle demanda à la vieille actrice de lui raconter comment il lui avait été néfaste.

— Pas ce soir. Demain, peut-être. Il faut que je ramasse mes souvenirs.

La sonnerie de la porte retentit à ce moment.

Rex Connors alla ouvrir. C'étaient don Pancho et Concepcion, qui demandaient Benjamin. Celui-ci accourut.

— *Buenos tardes*, *don Pancho*, dit Benjamin tout fier de se souvenir d'une proportion si importante de son vocabulaire espagnol. Et *mucho gracias*, *Concepcion*, pour m'avoir lavé mes vêtements.

— Je suis venu vous offrir de prendre un verre avec nous.

— Non, merci. Je fête justement avec mes amis.

— Demain peut-être?

— Ce sera difficile. J'ai une journée de fou. Je dois courir après un producteur de cinéma. Après, il faut que j'aille chercher le Westfalia. Ensuite, je dois me préparer à rentrer à Montréal.

— On peut aller chercher le Westfalia avec vous? offrit Concepcion.

— J'irai sans doute vers midi. Si vous avez envie de m'accompagner, je ne dis pas non.

Le vieillard salua bien bas, fit demi-tour et repartit avec la fillette.

Justin arriva peu après. Il avait touché sa première paye et acheté une énorme pizza.

— Elle est à quoi? demanda Benjamin car son odeur avait quelque chose de vaguement familier et de parfaitement repoussant.

— Au *chili*. Je l'ai choisie pour toi.

Lorsqu'ils montèrent se coucher, Soutinelle remarqua que son scénariste préféré avait l'air bien triste.

— Qu'y a-t-il?

— Rien.

— C'est parce que je vais devenir une actrice?

— Non, c'est autre chose.

Malgré un interrogatoire serré, il refusa d'en dire plus long. Le lendemain, peut-être…

Soutinelle sentit-elle qu'ils allaient bientôt se séparer? Sans doute, car elle eut pour lui cette nuit-là autant de tendresse que de passion. Benjamin s'accrocha de toutes ses forces à ce corps qui s'accrochait au sien. Et ils firent l'amour comme des adolescents qui passent leur première nuit ensemble, à moins que ce n'ait été comme des amoureux de longue date qui en sont à la dernière.

Le sixième jour

Était-ce le même rayon de soleil qui avait éveillé Benjamin Tardif quatre jours plus tôt? Sinon, c'était son frère jumeau, car il lui tomba à peu près à la même heure dans exactement le même œil. Mais Benjamin était résolu à ne pas se laisser faire. Après tous ces jours à courir partout, il ne lui restait plus qu'à faire signer son chèque et à récupérer le Westfalia. Mais il n'était pas question de se présenter chez Lou Ginotti avant dix ou onze heures – on ne réveille pas un producteur pour lui faire signer un malheureux petit chèque de cinq mille dollars. Pas question non plus de passer chez Bill tant qu'il n'aurait pas ce chèque signé pour couvrir la facture qui risquait d'être salée.

Il referma donc les yeux, mais ne parvint pas à se rendormir. Les rayons ne faisaient pas qu'illuminer la chambre, ils la réchauffaient et la journée s'annonçait torride. Il y avait aussi à ses côtés le corps de Soutinelle, dont il croyait s'être bien rassasié toute la nuit. Mais il n'en était plus tout à fait sûr, maintenant. Malgré la chaleur, il se tourna vers elle qui lui tournait le dos et l'entoura d'un de ses bras.

Soutinelle poussa un grognement qui pouvait aussi bien être un gémissement douloureux qu'un gloussement de plaisir. Benjamin opta pour la seconde possibilité. Il rapprocha quelque peu le bas de son corps des fesses tièdes de Soutinelle.

– Quelle heure il est? demanda-t-elle.

«Comme s'il y avait des heures pour ça», se dit Benjamin qui répondit pourtant, après avoir regardé sa montre :

– Huit heures.

– Huit heures! s'exclama Soutinelle. J'ai rendez-vous à dix heures.

Benjamin trouvait que deux heures c'était plus de temps qu'il n'en fallait, mais Soutinelle ne partageait pas son avis, car elle sauta du lit et s'empara de la brosse à cheveux.

Il se résigna à rester seul au lit. Et il eut de quoi s'occuper pendant un bon moment.

Il commença par regarder Soutinelle s'habiller. C'était un spectacle captivant et réjouissant que de la voir passer une première culotte puis la changer pour une autre et remettre la première, puis répéter trois fois le même manège avec son soutien-gorge, et essayer quatre fois chacune les deux robes qu'elle avait dans ses bagages. À la fin, il la trouva tout à fait ravissante dans sa robe jaune et le lui dit. Elle le gratifia d'une grimace au sens imprécis, mais qui était une fort jolie grimace.

Elle partit en voiture avec son frère, qui actionna la sirène même s'il ne pouvait y avoir aucune circulation dans les parages. Qui en avait eu l'idée? Soutinelle, qui n'aurait pas pour tout l'or du monde voulu être en retard d'une seconde pour signer son premier contrat, ou Justin, persuadé que la sirène était de toutes les musiques la plus douce à l'oreille en même temps que la plus stimulante?

Après avoir longuement songé à cette question et conclu que la sirène avait été mise en marche du plus commun des accords, Benjamin resta encore au lit à réfléchir, car les sujets de réflexion ne lui faisaient pas défaut.

Par exemple, son rêve du matin précédent. Devait-il garder l'interprétation qu'il en avait faite à prime abord – une indication qu'il était prêt à aimer n'importe quelle femme? En tout cas, le rêve, quel qu'ait été son sens profond, ne venait sûrement pas d'un subconscient prêt à lier son sort à une seule et unique personne. Pourtant, lorsqu'il était deux semaines plus tôt allé rejoindre Soutinelle au Texas, il était convaincu qu'elle était la femme de sa vie. Mais son subconscient semblait en être moins sûr que lui. «Ça le regarde», conclut Benjamin dans les draps moites pour éviter de conclure tout de suite.

Et quel était le symbole de la forêt de maïs? Benjamin s'était toujours voulu rationnel et ne s'était jamais tellement intéressé à la symbolique de ses rêves, dont il gardait rarement souvenir à son réveil. Mais celui-là lui revenait clairement à la mémoire. Si jamais il mettait la main sur un dictionnaire des rêves, il irait voir à «maïs» s'il n'existerait pas par hasard un rapport entre le maïs et le pénis (à cause de la rime autant que de la forme).

De plus, que signifiait la plume qui battait comme un cœur en écrivant des choses qu'il ne comprenait

132

pas? Qu'il était peut-être temps de laisser tomber ses petites traductions alimentaires simplistes pour se lancer dans une écriture plus substantielle – pas nécessairement au cinéma, mais pas nécessairement ailleurs non plus.

Et Soutinelle qui était entrée dans la maisonnette malgré la porte fermée à double tour? Cela pouvait-il signifier, en voyant la chose sous un angle positif, qu'elle possédait la clé de son cœur – ou, plus négativement, qu'elle s'apprêtait à l'emprisonner à tout jamais?

Surtout, que se cachait-il sous le cadavre de la fausse Marilyn? Et les traces à son cou, dans lesquelles ses doigts s'inséraient parfaitement? Pourquoi son subconscient s'efforçait-il de lui démontrer qu'il était coupable de la mort de cette jeune femme? La mère de Benjamin lui avait souvent dit à quel point elle avait souffert en le mettant au monde à un âge auquel les femmes devraient avoir cessé de faire des enfants. Il s'était toujours senti un peu coupable d'exister. Était-ce pour cela qu'il avait encore bien du mal, dans ses rapports avec les femmes, à ne pas s'imaginer responsable de leurs malheurs, qu'il y ait ou non contribué?

Il alla même jusqu'à se demander s'il n'avait pas tué de ses mains la blonde actrice, sans s'en rendre compte et sans s'en souvenir. Plus il y pensait, plus cela semblait impossible, mais moins il en était parfaitement sûr. Par exemple, il n'était pas totalement exclu que le départ de Soutinelle ce soir-là lui ait causé un traumatisme tel qu'il aurait souffert d'une crise d'amnésie pendant laquelle il serait retourné au bord de la piscine et, dans un accès de colère ou à la suite d'une quelconque provocation (comment savoir, quand on a tout oublié?), aurait étranglé la pas tout à fait Marilyn.

Tout cela était parfaitement insensé, à la manière de ces idées folles qu'on sait folles mais dont on n'arrive pas à se débarrasser parce qu'elles renferment un minuscule élément rationnel qui éclaire une parcelle d'une réalité qui nous échappe presque totalement.

Après deux heures de telles cogitations, Benjamin fit un effort pour redevenir pratique. Il prit une première résolution : parler à Soutinelle. De quoi? De la quitter, de sorte qu'elle poursuive librement sa carrière à Hollywood et que lui-même retourne à Montréal traduire ses descriptions de bagnoles et peut-être aussi entreprendre un projet plus susceptible de remplir sa vie après Soutinelle. Pourquoi pas un roman?

La perspective d'écrire un roman le mit en joie et il se leva. La douche était libre et fut délicieuse. Il trouva dans le tiroir supérieur de la commode la pile de vêtements que Soutinelle avait lavés la veille. Il n'en reconnut que la forme. La couleur avait changé. Blanc écru et beiges la veille, les chemises et les pantalons choisis pour son voyage dans le Sud avaient viré à un fort joli rose. Il comprit que Soutinelle, peu experte en l'art d'utiliser une machine à laver, les avait placés dans la même cuvée que l'uniforme rouge, tout neuf et de piètre qualité, de Justin. Et la couleur de l'uniforme, vraiment inspirée par le titre du premier film de Rambo, avait déteint en un rose tendre peu compatible avec le machisme stallonien.

Benjamin se trouva donc confronté à un choix qui ne lui laissait guère le choix. Il pouvait se présenter en vêtements roses chez le producteur de cinéma, qui ne manquerait pas de faire de nouvelles allusions à son orientation sexuelle. Ou bien il porterait encore les mêmes vêtements compromettants, quitte à passer le reste de ses jours dans une prison californienne dont les détenus risquaient de lui faire changer de gré ou de force ladite orientation sexuelle.

Il opta malgré tout pour cette dernière possibilité. Lou Ginotti et Edgar J. Berenson l'avaient vu la veille dans ces vêtements et n'avaient réagi ni l'un ni l'autre.

Il remit donc la chemise jaune et le pantalon vert. Ceux-ci furent presque détrempés avant qu'il ne soit rendu au rez-de-chaussée, tellement il faisait chaud. Dans le salon et la cuisine, il ne rencontra personne.

Il prit d'un pas rapide la direction de Beverly Hills. Première chose à faire : obtenir la signature de Lou Ginotti sur le chèque. Et il s'efforcerait aussi d'obtenir du producteur des explications sur la mort de la fausse Marilyn. Peut-être même parviendrait-il à le démasquer si c'était lui le coupable – et à se débarrasser par la même occasion de sa propre culpabilité. Il n'avait pas écrit une ligne de son hypothétique roman et il était déjà en pleine aventure policière, à échafauder les hypothèses les plus farfelues. Mais les journaux n'étaient-ils pas, tous les jours, pleins de crimes bizarres, la réalité donnant quotidiennement à la fiction une grande leçon d'imagination et d'humilité?

Lou Ginotti pouvait avoir assassiné sa Marilyn Monroe sous l'œil d'une caméra, pour s'offrir une scène hyperréaliste dans un film d'épouvante. Il pouvait s'être débarrassé d'elle parce qu'elle aurait été témoin de faits ou de conversations en rapport avec le procès de cent millions de dollars qu'on lui intentait pour plagiat. Ou parce qu'elle voulait le faire chanter. Ou parce qu'elle l'embêtait tout simplement et on sait combien certains hommes sont prompts à se défaire des femmes qui les embêtent.

Malgré la chaleur torride, Benjamin maintint le pas vif du justicier à la poursuite d'un criminel et arriva bientôt au domaine de Lou Ginotti. Pas l'ombre d'un policier devant la maison. Il sonna à la grande porte. Pas de réponse. Pourtant, en y collant l'oreille, il entendait de la musique à l'intérieur.

Il fit le tour du vaste terrain et rejeta sans peine la tentation de sauter le mur pour aller choir dans les épines des buissons. Du côté opposé, il trouva mieux : une grille fermant une allée menant à la piscine. Il la poussa. Généreusement graissée, elle s'ouvrit sans grincer d'un décibel. Personne près de la piscine. Une porte vitrée coulissante donnant sur le grand salon était entrouverte. Il la fit glisser suffisamment pour y passer la tête et cria par trois fois : « Monsieur Ginotti ! » Toujours pas de réponse. La musique venait de l'étage et il ne se sentait pas autorisé à y monter. Il lui semblait entendre aussi une douche couler. Sans doute le producteur en était-il à ses ablutions matinales.

Benjamin alla s'asseoir à une table ronde près de la piscine, sous un parasol.

Même à l'ombre, il transpirait abondamment et remarqua que de grandes demi-lunes foncées étaient apparues sur sa chemise, aux aisselles. Le parasol lui donnait soif. La piscine était invitante. S'il n'avait pas risqué de rencontrer ensuite Lou Ginotti en portant un slip mouillé qui aurait fait tache sous son pantalon, il se serait volontiers offert un petit plongeon.

Il soupira. En tendant l'oreille, il entendait toujours la douche couler. Le bruit de l'eau lui donnait encore plus chaud. Il y avait bien un moyen de se baigner sans mouiller son slip : l'enlever. Il hésita encore cinq bonnes minutes, car les deux seules fois qu'il s'était baigné nu aux États-Unis il s'était fait voler son Westfalia. Mais il était inconcevable que cela lui arrive encore. D'abord, le Westfalia était en sécurité chez Bill le réparateur. De plus, Justin, l'auteur des deux vols précédents, était au volant de sa voiture des Vigiles Rambo, sur une autoroute, probablement coincé dans un bouchon.

Benjamin se déshabilla, jeta ses vêtements sur un transatlantique en résine de synthèse de premier choix et se laissa glisser dans la piscine, tout doucement pour éviter qu'on l'entende. L'eau était délicieusement fraîche, alors qu'il se serait plutôt attendu à ce qu'elle soit tiède. «Ont-ils des climatiseurs pour l'eau des piscines?» se demanda-t-il. Et il se répondit aussitôt : «Tout est possible, à Beverly Hills.» Il fit une longueur à la brasse, puis revint avec un crawl discret évitant les éclaboussures bruyantes. Pour reprendre son souffle, il s'accrocha au bord de la piscine, près du plongeoir.

– Comme c'est gentil d'être revenu me voir!

Il leva les yeux : le sosie de Marilyn Monroe était au-dessus de lui, dans un peignoir blanc et court qu'il avait sûrement vu dans un des films de l'originale, mais il aurait été bien en peine de dire lequel tant la surprise le saisit à la vue de la femme qu'il s'imaginait quelques minutes plus tôt avoir assassinée.

– Vous n'êtes pas morte? bredouilla-t-il.

– Mais non, gros bêta, je ne suis pas la vraie Marilyn. C'est moi, Betty Sue. Tu ne me reconnais pas?

C'était la première fois qu'il entendait son prénom. Mais il n'eut pas le temps de le remarquer, car Betty Sue laissa le peignoir choir à ses pieds et descendit par l'échelle dans la piscine, où elle se retint au bord, comme les gens qui savent mal nager ou qui ne veulent pas mouiller leur coiffure.

Portait-elle un maillot ou quelque autre vêtement sous son peignoir? Cela importe peu. Ce qui était évident, c'est qu'elle n'était pas morte du tout. Vu à travers les vaguelettes qui s'agitaient à la surface de l'eau, son corps avait même l'air plus vivant qu'un corps ordinaire.

– Je suis venu, se hâta d'expliquer Benjamin, pour faire signer un chèque par M. Ginotti. Et il faisait tellement chaud que j'ai fait un petit plongeon dans la piscine.

– Il est encore dans la douche. Il prend des douches interminables. Mon psy soutient que les gens qui passent beaucoup de temps à se doucher n'ont pas la conscience tranquille.

– J'espère que M. Ginotti ne sera pas fâché s'il nous voit ensemble dans la piscine, dit Benjamin qui crut se souvenir que sa propre douche avait été un peu plus longue que d'habitude, ce matin-là.

– Oh non! la piscine est faite pour ça. Et moi aussi.

Elle éclata d'un rire qui pouvait aussi bien être innocent que provocant. Benjamin commença à se sentir troublé, ce qui le lança dans une autre de ses longues hésitations. Ne se proposait-il pas de rompre avec Soutinelle? Il est vrai qu'il n'en avait pas pris la décision définitive et ne l'avait pas encore annoncé à la principale intéressée. Par contre, la nuit qu'il venait de passer avait quelque peu épuisé sa libido. Ce qui n'empêchait pas une partie de son anatomie de se révéler soudain tout à fait disposée à remettre ça. Il se sentait toutefois capable de résister à la tentation. Cependant, ce n'était pas tous les jours qu'il se re-trouvait nu dans une piscine avec la jumelle identique de Marilyn Monroe, qu'il avait crue morte et qui se révélait toute frémissante de vie. Malheureusement, Lou Ginotti risquait d'arriver à tout moment et de ne pas goûter qu'il use et abuse de sa petite amie autant que de sa piscine. Mais il était fort possible que cela ne le choque pas, comme semblait le croire Betty Sue.

Finalement, après de nombreuses secondes à peser le pour et le contre, il s'agrippa au rebord de la piscine et se hissa hors de l'eau en prenant soin de tourner pudiquement le dos à Betty Sue. Pour se sécher, il s'enveloppa dans le peignoir blanc (qu'il avait vu dans *Certains l'aiment chaud*, ça lui revenait maintenant).

C'est à ce moment que Lou Ginotti sortit de la maison, vêtu d'une combinaison de jogging en soie avec sur la poitrine les initiales brodées BS et LG sé-parées par un petit cœur. Un cadeau de Betty Sue, sûrement. Le producteur s'arrêta un instant, apparem-ment pour constater que Benjamin Tardif semblait toujours aimer les vêtements féminins.

– Bonjour, monsieur If. Edgar m'a dit que vous passeriez ce matin pour me faire signer un chèque…

– C'est bien ça.

Benjamin se détourna, laissa tomber le peignoir, enfila son slip, prit son portefeuille dans son pantalon et tendit le chèque à Lou Ginotti. Celui-ci le signa sans hésiter.

– J'espère que vous nous présenterez d'autres idées.

– N'y comptez pas trop, fit Benjamin en achevant de s'habiller.

– Vous savez, il y a dix millions d'homosexuels mâles aux États-Unis. C'est un marché important…

Benjamin renonça à expliquer au producteur qu'il n'avait pas plus envie d'écrire des scénarios pour les homos que pour les hétéros. Il s'empara du chèque, le remit dans son portefeuille, boutonna sa chemise rapidement.

– Au revoir, dit-il.

– À la prochaine, Ben! cria Betty Sue en sortant de la piscine.

Il ne se retourna pas, même s'il en avait envie.

En passant par Pas tout à fait Beverly Hills, il ne vit ni don Pancho ni Concepcion. Il continua seul.

Un quart d'heure plus tard, il était au garage de Bill. Un petit garçon noir était assis à l'entrée.

Benjamin s'approcha, lui caressa la tête.

– C'est votre fils? demanda-t-il à Bill qui s'extirpait de sous la Lada en s'essuyant les mains sur un chiffon encore plus noir que l'enfant.

– Mon petit-fils. Votre Westfalia…

– Comment t'appelles-tu? demanda Benjamin au petit garçon.

Il se doutait bien que Bill allait lui annoncer que la réparation lui coûterait jusqu'au dernier des dollars mentionnés sur le chèque plié dans son portefeuille. Rien ne pressait pour s'en assurer.

— Martin Luther Boyd, dit le garçon fièrement.

— C'est très bien, ça…

Benjamin songea que, s'il pouvait avoir des garanties raisonnables que Soutinelle lui donnerait un enfant comme celui-là, il se sentirait disposé à se marier et même à rester à Beverly Hills ou presque. Comme garantie raisonnable, il se contenterait qu'elle lui dise qu'elle voulait un enfant de lui. Mais allez donc faire un enfant quand vous entreprenez une carrière de jeune première au cinéma…

— Écoutez, monsieur Jamintardif… intervint Bill.

— Je suis sûr que tu seras digne de ton… continua Ben Jamintardif à l'endroit du petit garçon.

Voulant faire une allusion au double prénom du leader noir plus qu'au nom entier du réformateur allemand, il chercha un instant comment dire « homonyme » en anglais. Bill profita de son silence pour interjeter :

— Votre Westfalia a été volé.

— *Namesake!*

— Votre Westfalia a été volé, répéta Bill.

Cette fois, son client avait bien entendu.

— Quoi ?

— Votre Westfalia a été volé, dit Bill une troisième fois. Il y a une demi-heure.

Benjamin ne réagit pas. Il faillit dire « Je le savais », car en descendant la colline il avait effectivement pensé que, malgré les bouchons et les problèmes d'orientation, il ne serait pas étonnant que son Westfalia soit «emprunté» une fois de plus par Justin.

– Avez-vous appelé la police? demanda-t-il à Bill.

– Justement, je n'étais pas sûr…

– Vous avez bien fait. Combien je vous dois?

– Quatre cent deux dollars. Les deux dollars, c'est pour l'autre jour…

– C'est donné.

C'était même une excellente nouvelle, car il avait la somme dans son portefeuille et n'aurait pas à chercher une banque qui accepte d'encaisser son chèque de cinq mille dollars. Mais à quoi sert à l'homme de faire réparer son véhicule pour trois fois rien si celui-ci est volé avant même qu'il l'ait récupéré? Il remit l'argent à Bill et caressa une dernière fois la tête crépue de son petit-fils.

– Sois digne de ton homonyme, dit-il. Méfie-toi du FBI. Et des anciens shérifs.

Malgré la chaleur étouffante et à cause de sa colère grandissante, il repartit encore plus rapidement qu'il n'était venu. En passant devant un magasin d'armes, il résista à la tentation d'acheter un revolver bien qu'il y en ait eu de très jolis, pas chers du tout.

À Pas tout à fait Beverly Hills, il s'assit sur une chaise de fonte rouillée, à côté de la grille bancale. Il n'avait rien d'autre à faire que d'attendre le retour de Justin en espérant que le Westfalia ne serait pas abîmé si tôt après avoir été réparé. Il faisait plus chaud que jamais. Et chaque goutte de sueur qui lui dégoulinait du nez lui rappelait sa toute dernière résolution : étrangler Justin, de ses propres mains. Serrer jusqu'à ce que ça fasse «couic» ou tout autre bruit délicieux que ferait le cou de Justin rendant l'âme entre ses doigts. Il devait être écrit quelque part qu'il étranglerait quelqu'un cette semaine-là. Mieux valait que ce soit Justin plutôt que Betty Sue.

Vers deux heures, il reconnut le bruit du moteur du Westfalia qui descendait la côte, puis l'aperçut. Au moins, le Westfalia semblait très bien rouler. Justin n'avait pas réussi à le lui abîmer. Et Bill avait fait du bon travail pour quatre cent deux dollars. Même le toit avait été réparé – en tout cas, il semblait mieux ajusté.

«Je crois que je vais l'engueuler en français, décida soudain Benjamin. Rien n'est plus pénible que se faire enguirlander vertement dans une langue dont on ne connaît pas un traître mot. Ensuite, je verrai bien. Il sera toujours temps de l'étrangler.»

Le Westfalia, comme s'il avait craint la colère de Benjamin, s'arrêta dans le chemin, devant la maison.

– Justin, mon tabarnaque! commença Benjamin.

La portière de gauche s'ouvrit. Sous les yeux de Benjamin stupéfait, don Pancho sortit avec son grand chapeau et sa canne blanchâtre. Concepcion descendit de l'autre côté.

– *Buenas dias, don Pancho,* dit Benjamin parce qu'il ne savait pas quoi dire d'autre et qu'il oubliait qu'à partir de midi on doit plutôt dire *buenas tardes.*

– Déjà de retour?

– Hé oui, vous voyez bien, fit Benjamin sur un ton sarcastique.

– J'espère que vous ne nous en voudrez pas, s'excusa le visiblement faux aveugle. Je voulais seulement vous éviter d'aller chercher le Wasfoolia parce que vous êtes très occupé. Bill n'était pas là, mais le Wasfoolia était là avec les clés dedans. Pour empêcher qu'il se fasse voler, on l'a emprunté. En revenant, la petite a dit : «Pourquoi on ne va pas visiter Beverly Hills?» On n'y est jamais allés, parce que le jour les gens nous regardent de travers. Ils appellent la police si on a l'audace d'examiner une maison plus d'une minute. Et si on y va la nuit, ils téléphonent dès qu'ils nous aperçoivent. Mais en auto, on peut – pourvu que la voiture ne soit pas trop vieille et pas trop rouillée. Et puis, votre Wasfoolia, on voit bien que ce n'est pas une voiture de Mexicain. Alors, on est allés faire un tour. Nous deux seulement, parce que si on avait été toute la bande, la police nous aurait arrêtés tout de suite, même dans votre voiture toute neuve. À Beverly Hills, on a commencé par aller voir la maison de Cantinflas…

Quelques années plus tôt, dans l'espoir d'apprendre un peu d'espagnol en vue de son voyage à Puerto Vallarta, Benjamin s'était abonné à un vidéoclub latino-américain. Il avait loué une comédie mettant en vedette cet acteur qu'il connaissait par *Le Tour du monde en quatre-vingts jours*. Mais Cantinflas parlait trop vite (du moins pour quelqu'un qui ne comprenait pas un mot de sa langue). Et Benjamin avait abandonné après une demi-heure.

– Il travaillait dans son jardin, même s'il est très vieux maintenant. J'aurais aimé leur offrir un coup de main, gratuitement, mais il est rentré juste comme on arrivait. Ensuite, on a vu la maison de Pedro Armendariz. Encore plus grande, celle-là.

Ce nom-là était familier à Benjamin, pourtant incapable de lui accoler un visage. N'était-ce pas cet acteur mexicain qui s'était suicidé en apprenant qu'il souffrait du cancer?

— Pedro Armendariz? Je croyais qu'il…, commença-t-il.

— Parle-lui de la maison de Ricardo Montalban, coupa Concepcion.

Benjamin avait vu une seule et unique fois *Fantasy Island*, un soir qu'un début d'incendie dans l'appartement de son voisin à Montréal l'avait forcé à se réfugier dans un bar pour fuir l'odeur de la fumée. Il se souvenait de l'homme au sourire facile, dans un rôle qui n'exigeait aucun talent particulier autre que celui de savoir sourire facilement.

— Lui, poursuivit don Pancho, il a une maison ultra-moderne, pas mexicaine du tout. Et une grande piscine. Justement, quand on est arrivés, il se baignait avec Ophelia Medina et Maria Rojo.

— Il y avait aussi Roberto Sosa et Claudio Obregon, ajouta Concepcion.

Benjamin ne connaissait pas ces noms de gens qui devaient être aussi de grandes vedettes du cinéma mexicain. Et il s'étonna qu'ils soient si nombreux à Beverly Hills. Sans doute la ville des vedettes du cinéma avait-elle son quartier latino-américain.

— Même Maria Felix… Vous connaissez sûrement Maria Felix, enchaîna don Pancho tandis que Benjamin hochait la tête. C'est une grande vedette internationale. Elle était là. Elle a une *hacienda* trois fois grande comme un grand *pueblo*. Et elle n'est pas fière, parce que, même si elle a la plus belle maison de Beverly Hills, elle tond sa pelouse elle-même, avec un petit tracteur. Quand elle a vu que nous étions mexicains, elle nous a envoyé un baiser du bout des doigts, comme ça.

Le vieillard joignit les doigts de sa main gauche, les porta à ses lèvres et leur donna un baiser qu'il lança dans les airs comme on lance un oiseau pour lui redonner la liberté.

— Ça, c'est une femme comme je les aime, continuat-il. Je serais bien allé lui parler, mais la petite dit que les vedettes de cinéma préfèrent qu'on les laisse tranquilles, surtout quand elles tondent leur pelouse.

Maria Felix vivait encore? C'était tout à fait possible. À Beverly Hills? C'était plus étonnant. Benjamin ouvrit la bouche pour manifester son scepticisme, mais Concepcion croisa un doigt sur la sienne.

Il comprit enfin. L'ex-conducteur d'autobus n'était pas un faux aveugle. Il ne voyait vraiment rien du tout mais cela ne l'avait pas empêché de s'installer au volant du Westfalia et Concepcion l'avait guidé. Elle avait inventé un tas d'histoires, pour lui faire croire que Beverly Hills avait été envahi par les Latinos autant que les bas quartiers de Los Angeles.

À quoi bon enguirlander le vieillard qui venait de se balader en voiture en se servant des yeux de la fillette? À quoi bon, surtout, lui apprendre que la petite lui avait parlé du Beverly Hills qu'il rêvait de voir et non de celui qui existait, peuplé de producteurs médiocres et de comédiens sans talent plutôt que de vedettes mexicaines?

– J'ai trois dollars pour payer l'essence, proposa don Pancho en mettant la main à sa poche.

– Non, laissez faire. Vous m'avez rendu un grand service en allant chercher le Westfalia. Ça vaut bien trois dollars.

– Vous venez prendre un verre avec nous?

– Non, merci. Il faut que je fasse mes bagages. Et j'ai quelques problèmes personnels à régler.

– Dans ce cas, Concepcion va aller chercher une bouteille d'*aguardiente,* que vous boirez quand vous voudrez, avec vos amis.

Pendant l'absence de la petite, Benjamin se demanda comment il pourrait aider ces gens. Le temps qu'il trouve, Concepcion était revenue avec une bouteille. Il remercia don Pancho, qui le remercia à son tour.

– Justement, reprit Benjamin, je me suis souvenu que l'autre soir vous m'avez payé à boire. Beaucoup d'*aguardiente* sans compter les *chimichangas* et le *guacamole.* Et j'aimerais vous rembourser.

– Pas question, trancha don Pancho.

– J'ai un tout petit chèque de cinq dollars, que m'a remis un Américain. Et comme je n'ai pas de compte en banque aux États-Unis, je n'arrive pas à le toucher. Ou bien ils me demandent plus que cinq dollars de frais. Cela me rendrait service si vous alliez le changer pour moi. Il y a sûrement quelqu'un chez vous qui a un compte en banque?

– Pedro en a un, affirma Concepcion.

Benjamin tira de son portefeuille le chèque de Lou Ginotti, l'endossa, le remit à la fillette qui ouvrit de grands yeux en l'examinant. Il lui fit un clin d'œil et, à son tour, mit un doigt sur sa bouche.

– À votre place, dit-il à don Pancho, j'irais aussi voir un médecin. J'ai entendu dire qu'il y a une nouvelle opération pour les yeux, qui ne coûte presque rien. Cinq dollars, pas plus.

Concepcion comprit. Elle fit oui de la tête.

Rassuré qu'elle emmènerait son grand-père chez un médecin, Benjamin prétexta qu'il était pressé et coupa court aux protestations du vieillard en lui serrant la main.

– Bonne chance, don Pancho.

Il se pencha vers Concepcion, lui donna un baiser sur la joue.

– Tu reviendras? demanda-t-elle.

Reviendrait-il ou pas? Il n'en savait rien. Peut-être reviendrait-il, pour Soutinelle…

– Bien sûr.

– Ton amie, je l'ai vue.

– Oui?

– Elle est belle. Comme une actrice.

– C'est ce qu'elle est.

Concepcion sembla rassurée qu'on lui préfère une vedette de cinéma. Elle traversa la rue avec son grand-père. Avant de pousser un des panneaux de contre-plaqué qui fermaient leur maison, elle se retourna et envoya du bout des doigts un baiser comme celui que son grand-père avait reçu de sa Maria Felix imaginaire.

Soutinelle revint en taxi au milieu de l'après-midi. Elle était surexcitée. Le lendemain, on lui ferait faire un bout d'essai.

– Tu sais ce qu'on va faire demain, après mon bout d'essai? demanda encore Soutinelle.

– Non.

– On va aller à Beverly Hills choisir une maison.

– Mais on n'a pas un sou.

– Et tes cinq mille dollars?

Benjamin lui expliqua ce qu'il en avait fait. Il espérait que Soutinelle serait furieuse et que cela provoquerait une querelle qui simplifierait l'annonce de son départ. Mais elle fut au contraire absolument enchantée de la générosité de son amoureux. De toute façon, elle allait gagner beaucoup d'argent. Assez pour deux.

C'est à ce moment-là que Rex Connors descendit, bientôt suivi de Malvina Lansford. Eux aussi examinèrent le contrat de Soutinelle.

– C'est le contrat esclavagiste habituel des producteurs de cinéma, commenta la vieille actrice. Vous pouvez le signer sans crainte : il contrevient à au moins douze amendements de la Constitution et vous pourrez facilement le contester devant les tribunaux si jamais il ne fait plus votre affaire.

Soutinelle était enchantée. Elle se voyait déjà, avec sa poursuite, en première page d'*Action!*

– Rex, va chercher du champagne, nous allons fêter ça, ordonna Malvina Lansford.

– Plus tard, protesta Benjamin. Il faut que je parle à Soutinelle.

– Vous lui parlerez après.

Le faux champagne était le même que celui de la veille et n'avait aucune des qualités gustatives nécessaires pour stimuler la conversation. C'est tout juste s'il fut à la hauteur du *chili* Grandma Thurston que Rex Connors laissa attacher avant de le servir en guise de souper.

À la tombée de la nuit, Benjamin insista encore pour parler à Soutinelle. Ils sortirent dans le jardin où les fleurs des buissons commençaient à se fermer.

— Quelque chose ne va pas? demanda Soutinelle en se serrant contre lui.

Il réfléchit un instant. Allait-il se perdre en longs préambules — ou attaquerait-il directement pour lui faire part sans ménagement de la décision qu'il avait prise? Il opta pour la seconde méthode, brutale mais efficace.

— Écoute, je suis désolé, mais je suis incapable de rester à Hollywood.

Il sentit Soutinelle se raidir contre lui.

— Je n'ai rien d'un scénariste, je ne comprends rien à ce métier et je sais que je n'y serai jamais bon.

— Mais ils ont déjà acheté ton premier projet.

— Je leur ai seulement raconté l'histoire qui nous est arrivée. Je n'ai rien inventé. Je n'ai aucune imagination. Je suis seulement un petit traducteur de publicité de voitures.

— Nous vivrons d'autres histoires ensemble, et ça te fera d'autres scénarios, dit Soutinelle en le regardant à travers les larmes qui surgissaient de ses paupières.

Benjamin eut du mal à contrer cet argument-là, parce qu'il n'y avait rien au monde qu'il avait plus envie de faire que de vivre d'autres aventures avec Soutinelle.

— S'ils ont acheté mon scénario, reprit-il en ramassant tout son courage, c'est seulement parce que toi tu les intéresses. Une fois qu'ils en auront fini avec mon histoire, on ne reconnaîtra plus rien. Quand je traduis mes descriptions de voitures, je sais combien de temps ça va me prendre, combien ça va me payer. Je sais que je le fais bien et personne ne peut me massacrer mon travail à moins d'être le dernier des imbéciles. Au cinéma, c'est moi qui deviens le dernier des imbéciles, parce que je n'y connais rien.

— Dans ce cas, je pars avec toi, s'écria Soutinelle.

— Mais non, tu as la chance de ta vie. Tu rêves de faire du cinéma depuis toujours. Tu te dois de poursuivre ta carrière, comme je dois moi aussi suivre ma voie. Nos vies s'étaient rapprochées, elles s'écartent. Elles se rapprocheront peut-être encore un jour. Pour l'instant, il vaut mieux que chacun de nous fasse ce qu'il a à faire. Je vais repartir demain, avec le Westfalia. Et je reviendrai te revoir dès que je pourrai. Toi aussi, tu pourras venir me voir à Montréal.

Benjamin espérait pourtant que Soutinelle insisterait pour partir avec lui. Ou qu'elle trouverait les mots pour lui faire changer d'avis. Mais elle se leva et rentra dans la maison. Il crut l'entendre pleurer et il se sentit une boule monter dans la gorge.

Lorsqu'il rentra à son tour, Soutinelle était assise dans la cuisine, à côté de Malvina Lansford. Elle était redevenue gaie et rieuse et il en ressentit une certaine tristesse, car il avait déjà oublié qu'elle pouvait jouer la comédie.

— Malvina va nous raconter son accident, dit Soutinelle avec enthousiasme.

Benjamin se tourna vers la vieille dame pour s'assurer qu'elle n'était pas vexée que Soutinelle parle de son accident comme d'un heureux événement. Au contraire, elle semblait enchantée de raconter son histoire – comme si elle allait redevenir actrice pour quelques moments encore.

– C'était le dernier jour du tournage des *Hurlements d'Angela.* La production avait été une suite ininterrompue de petites catastrophes. J'ai été mordue par un des chiens qui jouaient le rôle de chiens vampires. L'acteur qui jouait le loup-garou était cinglé et a essayé de me violer devant Rex qui s'imaginait qu'il jouait la comédie. Le type à la tronçonneuse a failli me couper une main. En fait, tout ce qui pouvait aller de travers était justement allé tout de travers. Mais ce n'était rien à côté de ce qui nous attendait en ce dernier jour. Il ne nous restait plus qu'une scène à tourner, avec la créature du docteur Frankenstein. Vous savez, bien entendu, que le nom de Frankenstein est celui du chirurgien et non du monstre qu'il a créé. Et que cette histoire a été inventée à l'origine par une Anglaise qui n'avait pas vingt ans et qui voulait évoquer le drame du démiurge et non donner naissance à l'industrie de la palpitation à bon marché. Eh bien, Rex avait obtenu pour ce rôle nul autre que Boris Karloff. Mais celui-ci ne nous était prêté que pour un jour de tournage. Vous vous souvenez de la scène de l'incendie?

– C'est ma scène préférée, affirma encore Soutinelle.

Benjamin ne broncha pas. Il ne se souvenait plus très bien de cette scène-là. Heureusement, la vieille actrice entreprit de la résumer :

– Angela est au lit, dans sa chambre. Elle y a été attachée solidement par le loup-garou, qui est allé faire un tour dehors parce que la lune a disparu et que les loups-garous, pour des raisons qui me demeurent encore mystérieuses, ne sont à l'aise qu'à la pleine lune. Près de son lit, il y avait une chandelle allumée, symbole de pureté. Dans cette scène, le monstre créé par le docteur Frankenstein entre par la fenêtre. Il a été créé l'après-midi même et ne connaît pas grand-chose de la vie, le pauvre. Il aperçoit la chandelle et ne devine pas qu'il peut s'agir d'un symbole de pureté. En fait, il ne sait pas du tout de quoi il s'agit. Et il m'aperçoit, dans mon lit. Je suis pour lui un objet aussi mystérieux que la chandelle. Vous avez vu la scène dans le film. Mais ce n'est pas du tout ainsi que cela devait se passer. Ce cher Boris devait prendre la chandelle pour m'examiner dans mon sommeil. Il remarquait alors que j'avais au cou une cicatrice, causée par la morsure du chien de Dracula. Il se touchait le cou en se regardant dans une glace judicieusement placée au mur pour qu'il s'y mire. Et il voyait, dans la cicatrice qu'il avait lui aussi, la preuve que nous étions de même nature, sinon de même race. Il devinait – c'est du moins ce que Rex espérait faire sentir au spectateur – que nous serions capables de nous accoupler. Et il tentait de me violer, lui aussi. Ce qui, vous vous en souvenez, n'est pas dans le film, car le sort en a décidé autrement. Aucune scène d'incendie n'ayant été prévue à l'origine, Rex n'avait pas prévu l'engagement de pompiers ou la location d'extincteurs. Mais il est vrai que le budget ne permettait pas d'accessoires ou de personnel superflus.

Rex Connors reprit sa mine piteuse. Benjamin ré-solut de faire ajouter au contrat de Soutinelle une clause insistant sur la présence de pompiers, quelles que soient les circonstances du tournage.

– Ce pauvre Boris était complètement bourré, poursuivit Malvina Lansford. Ce n'était pas sa faute : nous l'avions fait attendre pendant que nous tournions les scènes avec le chien. Et il n'avait rien eu d'autre à faire que prendre quelques verres dans une carafe qui traînait dans le décor et que Rex, par souci d'authenticité, avait tenu à remplir de véritable bourbon plutôt que de liquide coloré même si personne ne devait en boire. Boris s'est donc avancé avec une démarche titubante qui convenait parfaitement à son rôle de monstre à ses premiers pas. Je crus qu'il jouait la comédie en vieux professionnel qu'il était. Il prit la bougie sur la table de chevet, la leva à la hauteur de ses yeux… et tenta désespérément de se souvenir de ce qu'il devait faire ensuite.

– Comme c'était une scène muette, interrompit Rex Connors, je lui ai crié : «Le miroir, le miroir!»

– Au lieu de s'y mirer, Boris a pris le miroir dans sa main qui ne tenait pas la chandelle. Il ne savait pas quoi en faire et il a aussitôt essayé de le replacer sur le mur. Mais il était tellement saoul qu'il s'est trompé de main. Et c'est la bougie qu'il a essayé de fixer au mur. Malheureusement, il y avait un rideau tout près de l'endroit où avait été le miroir, et la bougie a mis le feu au rideau. J'ai crié. Boris a pris peur. Il a arraché les rideaux et voulu les jeter par la fenêtre, mais a tout bonnement communiqué l'incendie aux couvertures du lit dans lequel j'étais attachée. Rex, à ce moment-là, avait l'œil dans l'objectif de la caméra et il n'a pas bien vu ce qui se passait. Il voyait seulement Boris arracher les rideaux et les jeter par la fenêtre. Et son goût de l'improvisation – qui lui avait généralement valu de bien meilleures scènes qu'une préparation minutieuse – le poussa à continuer de tourner. De mon côté, j'étais nue sous mes couvertures et j'avais demandé qu'on réduise au minimum le personnel sur le plateau.

– En fait, il n'y avait que moi à la caméra, précisa Rex Connors, avec la vieille coiffeuse de Malvina, qui fut tellement pétrifiée d'horreur qu'elle est restée figée derrière moi sans dire un mot.

– Est-ce que j'allais rester attachée dans mon lit en flammes?

Les ongles de Soutinelle touchèrent l'os dans le bras de Benjamin qui eut envie de lui dire : «Tu vois bien qu'elle n'en mourra pas, puisqu'elle est encore là, devant nous.»

– Finalement, Boris a aussi mis le feu à ses propres vêtements et a sauté par la fenêtre – ce qui n'était pas très risqué puisque le décor de la chambre d'Angela était construit au rez-de-chaussée. Quant à moi, j'ai réussi à me défaire de mes liens et à sortir du lit.

Soutinelle poussa un soupir de soulagement et relâcha sa prise. Benjamin se frotta le bras et se demanda ce qui serait le plus judicieux : interdire, par contrat, la présence de toute personne autre que le réalisateur et la coiffeuse pendant les scènes de nudité; ou exiger, au contraire, la présence d'une équipe complète.

– Tout cela explique, poursuivit Malvina Lansford, que cette scène se termine par un incendie particulièrement réussi mais dont la suite est parfaitement incompréhensible, parce que nous n'avions plus un sou pour la changer.

Benjamin se souvenait de cette scène-là. Effectivement, Frankenstein-le-monstre-pas-le-chirurgien mettait le feu aux rideaux, disparaissait par la fenêtre et on ne le revoyait plus dans le film.

— Boris, pour sa part, a eu la vie sauve grâce à Esther Williams, qui tournait *Dans une île avec vous* à côté de notre studio, dit Rex Connors dans l'espoir de détendre l'atmosphère. Il a plongé dans la piscine et s'est dégrisé par la même occasion.

— Cela n'a pas empêché les producteurs de l'autre film de Boris de poursuivre Rex pour une fortune parce qu'on n'avait pas bien pris soin de leur vedette, dit Malvina Lansford avec la ferme intention de ne pas laisser l'atmosphère s'alléger plus que nécessaire.

— Ils ont offert de prendre la moitié des recettes brutes des *Hurlements d'Angela*, mais j'ai refusé, ajouta Rex Connors sur le ton d'un grand seigneur.

— Ce fut malheureux, intervint encore Malvina Lansford, car les recettes brutes du film furent à peu près nulles. C'est donc cette scène qui nous a ruinés. Mais nous ne le savions pas encore. De toute façon, cette journée néfaste n'était pas encore terminée.

Les ongles de Soutinelle, bien qu'aucune autre péripétie dramatique n'ait été entreprise, retrouvèrent leur place dans le bras de Benjamin, juste au cas où le récit de Malvina Lansford redeviendrait palpitant.

— Le tournage était fini. Nous sommes rentrés à la maison dans la Cadillac. Je suis sortie de la voiture. Lorsque je suis passée devant, elle s'est mise à rouler toute seule dans la pente de l'entrée et m'a écrasé les jambes contre le mur. Et voilà. Après avoir échappé ce jour-là à un péril extraordinaire, je me suis fait estropier par un accident de la plus déplorable banalité.

Les ongles de Soutinelle hésitèrent : devaient-ils s'enfoncer plus avant dans la chair et les os de Benjamin pour consommer cet anti-climax, ou s'en retirer comme il sied également lors d'un anti-climax ?

Benjamin trancha en saisissant fermement avec son autre main le petit poignet de Soutinelle et en le posant sur sa cuisse, où les ongles, s'ils recommençaient leur manège, mettraient plus de temps à atteindre l'os.

Il sentait que Malvina Lansford reprochait surtout à Rex Connors de l'avoir blessée de façon si peu originale, bien plus de l'avoir confinée à un fauteuil roulant. Soutinelle poussa un soupir de déception, sans doute pour les mêmes raisons.

— Le plus étrange, dit le vieux réalisateur, c'est que je venais justement de faire réparer les freins. Mais le garagiste avait négligé de remplacer les plaquettes du frein de secours parce que je ne le lui avais pas demandé.

— Depuis, la Cadillac est restée dans l'entrée, coupa Malvina Lansford, peu intéressée aux excuses mécaniques. Rex la lave de temps à autre. C'est leur punition, à tous les deux. Mais je ne parle que de nous, alors que Mlle Soutinelle nous dit que vous allez nous quitter ?

— Oui, il faut que je rentre chez moi travailler.

— C'est dommage. Vous n'avez rien vu de Los Angeles. C'est une ville fascinante, vous savez.

Vous avez manqué les émeutes raciales, quand le ciel s'embrase et que d'ici on dirait des aurores boréales. Et puis rien ne vaut un bon tremblement de terre, avec la vaisselle qui tinte quand elle ne tombe pas carrément par terre. Mais j'ai assez parlé. Vous partez demain et je crois que c'est votre dernière nuit ensemble avant longtemps. Profitez-en.

Benjamin et Soutinelle ne se firent pas prier pour monter à leur chambre.

Il y eut bientôt dans leur lit un phénomène qui ressemblait fort à un tremblement de terre atteignant sept virgule deux à l'échelle de Richter. Sans avoir à tourner les yeux vers la fenêtre, Benjamin et Soutinelle virent de magnifiques aurores boréales même s'il n'y avait par exception cette nuit-là pas la moindre émeute à cent kilomètres de Pas tout à fait Beverly Hills.

Le septième jour

Justin Case dut prendre bien soin d'être parfaitement silencieux en arrivant vers cinq heures du matin à Pas tout à fait Beverly Hills, car Benjamin Tardif n'entendit pas de voiture, même s'il tendait l'oreille aux bruits de moteur. C'est tout juste s'il perçut le grincement de la porte d'entrée qui s'ouvrait.

Soutinelle dormait, la tête posée sur son épaule et un bras en travers de sa poitrine. Benjamin aurait préféré ne pas risquer de la réveiller. Mais il tenait mordicus à une conversation en tête-à-tête avec Justin. Et comme il n'avait aucune idée de ses heures de travail, force lui était de l'attraper quand il pourrait. Il souleva donc délicatement le coude de Soutinelle, l'écarta et glissa sa propre épaule de dessous sa tête. C'est tout juste si elle émit un vague grognement de dormeuse.

Benjamin mit son slip en vitesse, saisit son pantalon au passage et fut au pied de l'escalier bien avant que Justin n'y arrive lui-même, car il avait fait un petit détour par la cuisine, où il cherchait quelque aliment pour accompagner la bouteille d'*aguardiente* qu'il venait de découvrir.

Il sursauta comme un voleur lorsque Benjamin ouvrit la lumière.

– Justin, il est temps que nous ayons une bonne conversation.

L'ex-shérif ferma la porte du réfrigérateur et prit à même la bouteille une bonne lampée d'alcool de canne.

– Ouaip, reconnut-il.

– J'ai vu Betty Sue hier, dit Benjamin en s'asseyant sur une chaise pour enfiler son pantalon.

– Betty Sue?

– Ne fais pas l'innocent. La fausse Marilyn Monroe. La petite amie de Lou Ginotti. Tu sais bien, celle qui a été assassinée par un type en vert et jaune.

– Tu es allé au salon funéraire?

– Non. Elle est tout à fait vivante.

– J'en suis bien content pour elle, affirma Justin en avalant une autre gorgée d'*aguardiente*.

– Tu vas me dire, avant que je t'étrangle, pourquoi tu m'as raconté cette histoire.

– Quelle histoire?

– Devine, dit Benjamin en s'accrochant à sa chaise pour ne pas sauter à la gorge de son interlocuteur.

Celui-ci lui tendit la bouteille – une fraction de seconde seulement, de crainte que Benjamin ne l'accepte – et s'offrit une autre gorgée.

– Je t'avais vu tourner autour de cette fille, dit-il après avoir claqué la langue.

– Moi? s'étonna Benjamin avec une innocence non feinte quoique pas totalement justifiée.

– Quand je suis allé aux toilettes, je t'ai vu avec elle dans une chambre. Tu étais en train de te déshabiller. Tu vas me dire que vous vouliez faire votre lessive?

– Non…, c'est-à-dire oui, mais le séchage seulement. Et puis ça n'a pas d'importance, ce que je faisais. Ce qui compte, c'est que je ne lui tournais pas autour.

– En montant dans son taxi, ce soir-là, Soutinelle m'a dit qu'elle aussi t'avait surpris avec elle. Alors, j'ai pensé que le meilleur moyen de t'éloigner de cette fille, ce serait de te faire croire qu'elle était morte. Tu as quand même pas une tête à courir après une morte.

– Merci du compliment.

– En ajoutant que tu étais soupçonné de l'avoir tuée, j'étais sûr que tu ne retournerais plus chez Ginotti. Tu diras ce que tu voudras, ça a marché, puisque tu l'as pas revue.

Benjamin acquiesça hypocritement – comme s'il ne s'était pas retrouvé, la veille, nu dans une piscine avec Betty Sue.

– Je m'excuse, Justin. Je n'avais pas du tout pensé que c'était à cause de ta sœur.

Justin profita aussitôt de l'avantage incontestable que procurent à un homme les excuses d'un adversaire :

– Le pire, c'est que je viens justement de me faire congédier à cause de toi.

Benjamin n'avait, jusque-là, pas remarqué que Justin ne portait plus son uniforme des Vigiles Rambo. Il était pourtant en civil. C'est-à-dire qu'il portait ses vêtements de shérif du comté de Badernia, mais sans insigne. Et sa tête était couronnée de son chapeau de cow-boy crasseux.

– Tiens, c'est pourtant vrai, tu n'es plus en uniforme ?

– Puisque je te dis que j'ai perdu mon job à cause de toi.

Benjamin se raidit quelque peu face à cette accusation injuste. Justin était parfaitement capable de perdre son job tout seul.

– C'est à cause de cette histoire d'alerte chez Lou Ginotti, expliqua Justin en constatant qu'on ne semblait pas le croire sur parole. Le policier qui nous a ouvert le chemin a téléphoné au bureau de Rambo, qui a fait enquête et découvert que j'utilisais ma sirène pour aider un étranger à arriver à temps à un rendez-vous qui devait lui permettre de vendre un scénario…

– … et à ta sœur de faire ses débuts au cinéma.

– On m'a congédié tout de suite, poursuivit Justin, imperturbable. Nétopisme, qu'ils ont dit.

– Népotisme, peut-être?

– Oui, c'est ça : nétopisme. Justement parce que tu sors avec ma sœur.

Au lieu d'excuses supplémentaires, Benjamin annonça à Justin qu'il rentrait à Montréal le lendemain – ou plus précisément ce jour-là dès que le soleil serait levé pour de bon.

L'ex-vigile parut sincèrement désolé de voir que les choses ne s'arrangeaient pas entre lui et sa sœur. Et ils auraient probablement eu leur toute première conversation amicale si l'ex-shérif n'avait pas alors demandé :

– Il y a des *rangers* au Québac où tu retournes?

– Québec, corrigea Benjamin quelque peu terrorisé par la perspective qu'il commençait à imaginer. Non, on n'a pas de *rangers*.

– Y a pas la police montée?

— Pas au Québec. Seulement à Ottawa et dans quelques provinces.

Justin sembla fort contrarié.

— Y a pas du tout de police au Québoc ?

— Il y a un peu de police municipale, admit Benjamin à regret. La police de Montréal à Montréal. Et celle de L'Abord-à-Plouffe à L'Abord-à-Plouffe.

— Des polices de ville ? Je serais pas capable. Je me perds tout le temps dans les villes. À Badernia, y avait qu'un carrefour. Même pas de feu rouge. Pas moyen de se tromper.

— Je sais.

— Mais il doit bien y avoir des campagnes, au Québuc, non ?

Bien à contrecœur, Benjamin se vit obligé de révéler qu'il y avait en effet des campagnes au Québec, et même beaucoup.

— Dans ce cas-là, poursuivit Justin avec une lueur d'espoir dans les yeux, il y a sûrement de la police dans les campagnes.

Benjamin hocha la tête.

— Et elle doit avoir un nom, cette police.

Benjamin reprit espoir :

— C'est la Sûreté du Québec.

Il était passé à un cheveu de l'appeler par son ancien nom de Police provinciale, trop facile à comprendre et même à prononcer. Mais il venait de songer à un argument encore plus inébranlable que ce nom difficile :

— Bien entendu, il faut parler français pour entrer dans la Sûreté du Québec.

– Oui? fit Justin que le découragement recommençait à gagner.

Il réfléchit un bon moment, pendant lequel Benjamin se crut tiré d'affaire.

– Mais si j'apprends le français, ça se pourrait qu'ils me prennent?

Était-il écrit quelque part que Benjamin accomplirait une bonne action ce jour-là encore? En tout cas, après une toute petite hésitation, il se sentit obligé de reconnaître qu'avec cinq cents mots de français et un uniforme à sa taille Justin n'aurait pas l'air plus idiot que n'importe quel agent de la SQ.

– Oui, avoua-t-il, je pense que si tu apprends le français, tu pourrais être accepté.

– Youpi! s'écria Justin. Attends-moi, je vais chercher mes bagages.

Benjamin n'eut pas le temps de lui dire qu'il n'était pas question de partir tant qu'il ne ferait pas jour. Justin s'était précipité dans l'escalier et criait :

– Soutinelle, je pars avec Ben au Québic!

Soutinelle descendit peu après, en se frottant les yeux. Le jour avait daigné se lever, lui aussi. Benjamin faisait du café.

– Tu es bien matinale, s'étonna-t-il.

– J'ai mon bout d'essai, ce matin.

Ils déjeunèrent ensemble. Les tremblements de terre et les aurores boréales avaient fait place à un silence gêné, comme si chacun attendait que l'autre renonce à son projet de partir ou de rester; peut-être aussi l'un comme l'autre était-il tenté de changer d'avis et de dire « je reste avec toi » ou « je pars avec toi ».

Le même silence pénible persista dans le Westfalia lorsque Benjamin alla reconduire Soutinelle au studio de Lou Ginotti.

— Je ne reviendrai pas te chercher, dit-il lorsque Soutinelle sortit du véhicule.

— Je prendrai un taxi, murmura Soutinelle.

Elle referma la portière.

«Ce n'est pas possible qu'on se quitte comme ça», songea Benjamin. Et peut-être Soutinelle le pensa-t-elle aussi.

Mais il ne trouva rien de mieux que de faire du bout des doigts un petit baiser timide que Soutinelle, déjà tournée vers l'entrée du bâtiment, ne vit pas.

De retour à Pas tout à fait Beverly Hills, il retrouva Malvina Lansford et Rex Connors qui l'attendaient dans le salon et qui lui présentèrent un cadeau enveloppé dans du papier d'emballage de Noël des années cinquante.

Cela avait, à travers le papier, à peu près la forme d'une machine à écrire. À peu près le même poids, aussi. En fait, c'était bel et bien la Smith Corona Silent de Rex Connors.

— Je suis convaincu, dit celui-ci, que vous en ferez meilleur usage que moi.

Benjamin renonça à leur expliquer encore que jamais il n'écrirait la moindre ligne de scénario. Pas la peine, non plus, de leur faire comprendre qu'il travaillait à Montréal avec un excellent ordinateur, cent fois plus pratique et mille fois plus silencieux que cet appareil antédiluvien.

Il n'avait pas pensé à leur offrir un cadeau pour les récompenser de l'avoir hébergé et nourri. Mais il avait l'impression qu'en acceptant leur cadeau il leur ferait plus plaisir qu'en les payant ou en les couvrant de cadeaux. Et cela tombait bien, parce qu'il était presque aussi radin que Justin le prétendait.

– Merci, dit-il avec émotion. J'essaierai d'en faire bon usage.

Il monta faire ses bagages, redescendit, serra une dernière fois la main de Rex Connors et baisa la joue poudrée de Malvina Lansford.

Il s'installa dans le Westfalia où Justin l'attendait. Déjà, il commençait à regretter son offre d'emmener avec lui l'homme qu'il avait envie d'étrangler trois fois par jour en moyenne. Mais il était trop tard pour reculer. Il tourna la clé dans le contact et ils partirent en faisant des gestes d'adieu aux deux fenêtres – d'un côté au vieux couple, de l'autre à don Pancho, Concepcion et une vingtaine de femmes et d'enfants mexicains.

Benjamin demanda à Justin de prendre la carte dans la boîte à gants et d'essayer de trouver un chemin en direction nord-est, de préférence en évitant les autoroutes.

Le futur agent de la Sûreté du Québec fit d'abord preuve d'un aplomb étonnant et guida Benjamin de main de maître.

– À droite à la prochaine. Puis tout droit. Ensuite à gauche, jusqu'à une fourche où on prendra à droite… Non : à gauche encore, je pense.

Il fit tant et si bien qu'après deux heures de petits chemins tranquilles le Westfalia se retrouva devant une rampe d'autoroute garnie d'un panneau indicateur interdisant le passage aux vélos et aux chiens, mais ne divulguant aucun moyen d'éviter l'autoroute si on était un vélo, un chien ou un Westfalia.

Benjamin s'y engagea en maugréant, tandis que Justin tentait de se dégager de ses responsabilités en déclarant :

– À ta place, j'aurais plutôt pris à droite, à la dernière fourche.

Pendant trois minutes, le Westfalia roula rapidement, jusqu'au moment où il se retrouva tout dernier véhicule (quoique pour quelques instants seulement) d'un immense bouchon. La circulation avançait à pas de tortue paraplégique. Benjamin reconnut le panneau annonçant un mille plus loin la sortie qu'il avait prise pour aller au Bill's Auto World. Comment pouvaient-ils avoir roulé pendant deux heures dans les environs de Los Angeles pour se retrouver si près de leur point de départ?

– Dis donc, Justin, pourrais-tu m'expliquer comment on a pu rouler…

Il n'eut pas le temps de terminer sa phrase. Le mugissement d'une sirène forçait les trois couloirs de voitures de gauche à se frôler vers la gauche et les deux de droite à faire de même de leur côté, de façon à dégager un couloir pour l'ambulance.

Le Westfalia était dans le deuxième couloir de droite. Benjamin jeta un coup d'œil à gauche et aperçut une vieille Cadillac qui les doublait en roulant à peu près à la même vitesse qu'un homme au pas.

Son second coup d'œil le convainquit qu'elle roulait exactement au pas, puisqu'elle était poussée par une vingtaine d'enfants mexicains qui imitaient à la perfection le cri d'une sirène ultra-puissante. Au volant, Rex Connors eut un petit geste d'amitié à l'endroit de Benjamin. À côté de lui, Soutinelle lui fit signe de s'arrêter, ce qui était bien inutile puisque le Westfalia n'avançait pas. Sur la banquette arrière, don Pancho écoutait probablement Concepcion lui raconter à quel point l'architecture de ce coin de pays était typiquement mexicaine; ou bien que toutes les voitures immobilisées sur l'autoroute étaient fabriquées au Mexique; ou encore que tous les conducteurs portaient un sombrero et leurs passagères une mantille.

La Cadillac s'arrêta et Soutinelle en sortit. Obligeamment, son frère sauta par-dessus le dossier et lui confia la carte routière.

— J'ai eu tellement peur qu'on te rattrape pas, dit Soutinelle en montant dans le Westfalia.

— Tu aurais pourtant dû savoir que tu pouvais compter sur ton frère pour qu'on n'aille ni trop vite ni trop loin, dit méchamment Benjamin en regardant dans le rétroviseur la mine de Justin, ravi du compliment.

— Heureusement, continua Soutinelle, Rex a décidé de faire réparer la Cadillac. Notre exemple a donné à Malvina le goût de voir l'Amérique au lieu de rester chez elle dans son fauteuil roulant. Mais la voiture a refusé de partir. Alors tes copains mexicains ont offert de la pousser jusque chez un nommé Bill qui est spécialiste des vieilles Cadillac. Je suis venue avec eux parce que je me suis dit qu'on sait jamais, peut-être qu'on te rattraperait, tu as tellement de mal à lire les cartes…

— Tu ne restes pas à Hollywood?

— Sais-tu ce qu'ils voulaient que je fasse, avant de me faire tourner mon bout d'essai?

Aussitôt, Benjamin imagina des propositions malhonnêtes et des séances de photographie de porno dure, avec des animaux ou des accessoires sadomasochistes. Il eut le réflexe de tourner le volant pour faire demi-tour et aller casser la gueule à Lou Ginotti. Mais la Cadillac avait déjà pris une centaine de mètres d'avance et les cinq files de voitures avaient aussitôt comblé le vide.

— Ils ont demandé à leur ordinateur de me trouver un nom, expliqua Soutinelle. Et tu sais ce qu'il a trouvé?

Elle se tut, le temps de laisser Benjamin imaginer le pire. Comment un ordinateur aurait-il pu trouver pire que Soutinelle Case – et sa forme abrégée Soot Case?

— Je ne sais pas, avoua-t-il.

— Carla Carriage. Paraît que ça fait provocant, parce que ça rime avec courage. Et Carla, c'est le plus sexy des prénoms féminins, d'après leurs sondages.

«Carla Carriage», se répéta Benjamin Tardif. Ce n'était pourtant pas si mal. Le nom ronflait un peu, mais l'allitération lui donnait de la gueule et le rendait facile à retenir. C'était bien mieux que Soutinelle Case, en tout cas, sur une affiche. Et il s'apprêtait à lui expliquer que le cinéma, c'était d'abord et avant tout un *business* et qu'il fallait se plier aux nécessités commerciales et s'efforcer de comprendre un tas de trucs insensés, mais c'était comme ça, on n'y pouvait rien, lorsqu'elle enchaîna :

– Tu sais ce que ça fait, Carla Carriage?

Il ne voyait pas.

– Ça fait Miss Carriage! explosa Soutinelle.

Benjamin, comme un imbécile, ne put réprimer un petit rire. L'ordinateur de Lou Ginotti n'avait pas songé que Carla Carriage faisait «fausse couche» lorsqu'on remplaçait Carla par Miss. Soutinelle entendit ce ricanement et regarda Benjamin avec fureur.

– Excuse-moi, se hâta-t-il d'ajouter. Mais tu aurais pu leur dire que leur ordinateur s'était mis le doigt dans l'œil jusqu'au coude. Je suis sûr qu'il avait des centaines d'autres possibilités à proposer.

– J'ai rien dit. Je suis partie en leur claquant la porte au nez.

– Ce n'est pas bien raisonnable, s'efforça de dire Benjamin même s'il avait plus que jamais envie de garder Soutinelle avec lui. Veux-tu qu'on arrête à la prochaine sortie de l'autoroute – d'ici demain, on devrait y arriver – et qu'on lui donne un coup de fil?

Soutinelle secoua la tête.

– Je suis sûr qu'il va comprendre; ce n'est quand même pas un imbécile, affirma encore Benjamin. En tout cas, pas tout à fait un imbécile.

Soutinelle secoua encore la tête. Il insista:

– Tu veux abandonner ta carrière au cinéma pour une raison pareille?

Soutinelle ne secoua pas la tête, mais une toute petite larme se mit à couler sur sa joue.

– Vraiment?

– Maudits hommes! dit-elle.

– Tous les hommes ne sont pas comme Ginotti, protesta Benjamin.

– C'est vrai, renchérit Justin du siège arrière.

– Maudits hommes! répéta Soutinelle. Pas capables de comprendre que je refuse de faire carrière à Hollywood si l'homme que j'aime refuse d'y vivre lui aussi.

Benjamin, avant d'ouvrir la bouche, commença par préparer une réponse dans laquelle il devait être question du droit des femmes à une carrière, de l'absurdité de laisser entraver une vie par la présence d'un être aimé, de la probabilité qu'elle regretterait un jour son choix si elle le suivait à Montréal. Mais, sans qu'il sache trop comment, une tout autre phrase s'échappa de ses lèvres :

– Tu sais, à Montréal, on a un manque flagrant de jolies actrices noires. En fait, je ne me souviens pas d'en avoir vu depuis des années, ni au cinéma ni à la télévision. De toute façon, je pourrai t'aider en attendant que tu aies trouvé des rôles et appris un peu de français.

Soutinelle lui sauta au cou avec un enthousiasme qui aurait causé un accident terrible si le Westfalia n'avait pas roulé à la vitesse zéro.

Justin, pour ajouter à la félicité générale, lança :

– Moi aussi, je vais apprendre le français, pour m'engager dans la Sootay du Québac.

Tout en serrant Soutinelle contre lui, Benjamin fut pendant une grosse seconde submergé par la crainte de devenir responsable de deux individus pour lesquels il avait des sentiments diamétralement opposés. Il eut même envie d'abandonner le Westfalia et de prendre ses jambes à son cou.

Juste à ce moment-là, le bouchon se défit. La circulation reprit. Les automobilistes du deuxième couloir à droite se mirent à klaxonner furieusement pour faire bouger ce satané Westfalia qui leur bloquait la route.

Soudain, la vie à venir sembla irrésistiblement belle à Benjamin Tardif. Il rentrait chez lui avec la femme qu'il aimait et qui l'aimait au point de renoncer à devenir Carla Carriage. Qui sait si elle n'avait pas inventé de toute pièce cette histoire de changement de nom?

Il faisait beau – beaucoup moins chaud que la veille. Le Westfalia était en parfait état de marche. Et il n'y avait pas de bouchon en vue. Qu'est-ce qu'un honnête homme pouvait demander de plus?

De trouver son chemin, peut-être…

– Regarde dans la pochette à ta droite, demanda-t-il à Justin. Il y a une carte des États-Unis. Par quel État on doit passer pour rentrer à Montréal?

Après avoir longuement consulté la carte, le futur agent de la Sûreté du Québec proposa :

– On peut passer par le Nevada. Mais je me demande si ça irait pas plus vite d'y aller en ligne droite, par le Mexique.

«On n'est pas près d'être rendus», songea Benjamin. Et puis il se demanda si ce n'était pas mieux comme ça. En faisant un détour par le Mexique, ils pourraient toujours aller se reposer un peu de leurs émotions des deux dernières semaines.

Soutinelle alluma la radio.

La vague de chaleur qui sévissait sur le nord de l'Amérique une semaine plus tôt semblait devoir faire place à une vague de froid.

– Montréal, cinq, Québec, un, Boston, quatre, Détroit, deux…

– C'est froid, là-haut, remarqua Justin en frissonnant juste à y penser.

Benjamin aurait pu lui dire qu'il pouvait s'agir de degrés Celsius et non Fahrenheit, donc pas si froid que ça, mais il préféra le laisser croire qu'il faisait un temps glacial dans le Nord. Peut-être cela l'encouragerait-il à le laisser partir seul avec Soutinelle ? Et alors sa félicité ne connaîtrait plus de limite.

– Edmonton, deux, Calgary, zéro, continua la radio.

Benjamin se rendit alors compte de leur erreur : ce n'était pas la météo, c'étaient les résultats des matches de hockey de la veille.

– Vancouver, sept, Los Angeles, trois…

À l'annonce que la vague de froid s'étendrait jusqu'à la côte du Pacifique, Justin remonta instinctivement le col de son blouson. Par le rétroviseur, Benjamin le vit faire et ne put réprimer un sourire : « C'est pas possible, un crétin pareil ! Pas foutu de faire la différence entre les scores de hockey et les prévisions de la météo. »

Il rata de peu une excellente occasion de prendre une leçon d'humilité aussi gratuite que méritée, car Soutinelle changea de poste juste avant les résultats des matches de basket.

DU MÊME AUTEUR

ROMANS

Agénor, Agénor, Agénor et Agénor, Les Quinze, 1981. Réédité en 1988 puis en 2001, dans la collection Typo aux Éditions de l'Hexagone.

La Tribu, Libre Expression, 1981. Réédité en 1998 dans la collection Bibliothèque québécoise.

Ville-Dieu, Libre Expression, 1983. Réédité en 1999 dans la collection Bibliothèque québécoise.

Aaa, Aâh, Ha ou les amours malaisées, L'Hexagone, 1986.

Les Plaines à l'envers, Libre Expression, 1989.

Nulle Part au Texas, Libre Expression, 1989.

Je vous ai vue, Marie, Libre Expression, 1990.

Ailleurs en Arizona, Libre Expression, 1991.

Le Voyageur à six roues, Libre Expression, 1991.

Pas tout à fait en Californie, Libre Expression, 1992.

De Loulou à Rébecca (et vice versa, plus d'une fois), Libre Expression, 1993. Sous le pseudonyme d'Antoine Z. Erty.

Moi, les parapluies..., Libre Expression, 1994. Réédité en 1999 dans la Série Noire (Gallimard).

Vie de Rosa, Libre Expression, 1996.

Vie sans suite, Libre Expression, 1997.

Cadavres, Gallimard (Série Noire), 1998.

Tant pis, VLB éditeur, 2000.

Chiens sales, Gallimard (Série Noire), 2000.

Une histoire de pêche, collection Fiction française, Gyldendal, 2000.

J'enterre mon lapin, VLB éditeur, 2001.

L'ennui est une femme à barbe, Gallimard (Série Noire), 2001.

Nouvelles
Longues Histoires courtes, Libre Expression, 1992.

Littérature eunesse
Premier Boulot pour Momo de Sinro, Québec Amérique, 1998.
Pince-nez le crabe en conserve, Éditions Pierre Tisseyre, 1999.
Premier Trophée pour Momo de Sinro, Québec Amérique, 2000.
Première Blonde pour Momo de Sinro, Québec Amérique, 2001.

Essais
Courir à Montréal et en banlieue, Libre Expression, 1983.
Écrire en toute liberté, Éditions Trois-Pistoles, 2001.

COLLECTION ZÉNITH

François Barcelo
Les aventures de Benjamin Tardif I – Nulle part au Texas
Les aventures de Benjamin Tardif II – Ailleurs en Arizona
Les aventures de Benjamin Tardif III – Pas tout à fait en Californie

Bernadette Renaud
Un homme comme tant d'autres, tome 1, *Charles*
Un homme comme tant d'autres, tome 2, *Monsieur Manseau*
Un homme comme tant d'autres, tome 3, *Charles Manseau*